McDOUGAL LITTELL

¡En español!

Unit 6 Resource Book

URB L3 U6

ISBN: 0–395–96213–7

2 3 4 5 6 7 8 9 — MDO — 04 03 02 01 00

TABLE OF CONTENTS

The Unit Resource Books, which accompany each unit of *¡En español!,* provide a wide variety of materials to practice, expand, and assess the material in the *¡En español!* student text.

Components

Following is a list of components included in each ***Unit Resource Book*** and correlated to each *etapa*:

- ***Más práctica** (cuaderno),* **Teacher's Edition**
- ***Cuaderno para hispanohablantes*, Teacher's Edition**
- **Information Gap Activities**
- **Family Involvement**
- **Video Activities**
- **Videoscripts**
- **Audioscripts**
- **Assessment Program:**
  Cooperative Quizzes
  Etapa Exams, Forms A & B
  Exámenes para hispanohablantes
  Portfolio Assessments

Cumulative Resources, which follow the third *etapa* of each unit, include the following materials:

- **Assessment Program:**
  Unit Comprehensive Test
  Pruebas comprensivas para hispanohablantes
  Multiple Choice Test Questions
- **Answer Key**

Component Description

Más práctica (cuaderno), Teacher's Edition

The ***Más práctica*** *(cuaderno)* is directly referenced in the student text and provides additional listening, vocabulary, and grammar activities based on the material taught in each *etapa* of the student text. As an additional study tool, there are *etapa* bookmarks that include the *En resumen* vocabulary list and abbreviated grammar explanations.

Escuchar

The listening activities in the ***Más práctica*** *(cuaderno)* give students the opportunity to demonstrate comprehension of spoken Spanish in a variety of realistic contexts. While listening to excerpts from the cassette/CD that accompanies the ***¡En español!* Audio Program,** students work through two pages of listening activities to improve both general and discrete comprehension skills.

Vocabulario

These activities give students additional practice of the active vocabulary presented in each *etapa.* The activities are frequently art-based and range in style from controlled to open-ended.

Gramática

These activities reinforce the grammar points taught in the **En acción** section of each *etapa.* Each activity is keyed to a specific grammar point. The activities are frequently art-based and in a variety of formats, including sentence completion, question-answer practice, dialogue completion, and guided comprehension.

Cuaderno para hispanohablantes, Teacher's Edition

The ***Cuaderno para hispanohablantes*** is directly referenced in the student text. It includes *etapa*-specific listening, reading, grammar, spelling, dictation, writing, and culture activities that respond to the specific needs of native speakers of Spanish and gives them the opportunity to improve their Spanish in a variety of realistic contexts. As an additional study tool, there are *etapa* bookmarks that include the *En resumen* vocabulary list and abbreviated grammar explanations.

Escuchar

The listening activities in the ***Cuaderno para hispanohablantes*** respond to the specific needs of native speakers of Spanish and give them the opportunity to improve comprehension of spoken Spanish in a variety of realistic contexts. After listening to excerpts from the cassette/CD that accompanies the **Audio Program,** students sharpen their spelling, accentuation, and grammar skills.

Lectura

The readings and reading activities in the ***Cuaderno para hispanohablantes*** practice and expand upon the topics presented in the student text. The activities come in a variety of styles, including prereading activities with graphic organizers and post-reading questions that focus not only on simple comprehension but also on critical thinking.

Gramática

Geared specifically to the native speaker of Spanish, these activities offer further opportunities to practice the grammar points taught in the **En acción** section of each *etapa*. Each activity is keyed to a specific grammar point. The activities are frequently art-based and provide a variety of forms, including sentence completion, question-answer practice, real-life information, dialog completion, and guided comprehension.

Escritura

Created specifically for the native speaker of Spanish, these writing activities complement those in the student text and give students additional practice. This writing practice is tailored to their individual skills and focuses on topics and themes that are touched upon in the student text.

Cultura

The activities in this section of the workbook expand upon the cultural concepts presented in the student text. These activities provide students with ample opportunities to consider their own cultural values and how those values connect with the cultural orientations of other students in the class and other speakers of Spanish. Activities focus on student text topics and themes, regional variations, and cross-cultural similarities.

Information Gap Activities

These paired communication activities are additional to the material in the back of the student book. In these activities, Student A and Student B each have unique information, which they must share in order to accomplish each activity's goal.

Family Involvement

This section offers strategies and activities to increase family support for students' learning the Spanish language and studying different cultures.

Video Activities

These previewing, viewing, and postviewing activities for the **¡En español! Video Program** increase students' comprehension of the interview and the authentic video segment.

Videoscripts

This section provides complete scripts for the entire **Video Program,** including the **Entrevista** and the **En colores** section.

Audioscripts

This section provides scripts for the entire **Audio Program** and includes: vocabulary presentations, dialogs, readings and reading summaries, audio for *Más práctica (cuaderno)* and student text activities, audio for native speaker activities and assessment program.

Assessment Program

Cooperative Quizzes

Cooperative Quizzes are short, check-for-understanding vocabulary and grammar quizzes that can be taken individually or cooperatively.

Etapa Exams, Forms A & B

These are five-skill exams provided in two forms for easy classroom management. Each test begins with one overall testing strategy prompt to build students' confidence, and each test section will also remind students of additional strategies for test-taking success.

Exámenes para hispanohablantes

These five-skill exams parallel the focus of the objectives in the ***Cuaderno para hispanohablantes.*** Like the tests for non-native students, each native speaker test begins with a test-taking strategy that builds confidence and gently reminds students of the language strategies.

Portfolio Assessment

This component provides two assignments per *etapa.* These assignments feature outstanding speaking, writing, and projects paired with holistic scoring tools for each assignment.

Cumulative Resources

Assessment Program

Unit Comprehensive Tests

Unit Comprehensive Tests are functionally driven, so they assess students' overall ability to communicate in addition to their understanding of vocabulary and grammar concepts.

Pruebas comprensivas para hispanohablantes

These tests are functionally driven like the non-native tests, yet also assess skills and concepts from the *Cuaderno para hispanohablantes.*

Multiple Choice Test Questions

These are the print version of the multiple choice questions from the **Test Generator.** They are contextualized and focus on vocabulary, grammar, and the five skills.

Answer Key

The **Answer Key** includes answers that correspond to the following material:

- **Information Gap Activities**
- **Family Involvement**
- **Video Activities**
- **Cooperative Quizzes**
- **Etapa Exams**
- ***Exámenes para hispanohablantes***
- **Unit Comprehensive Tests**
- ***Pruebas comprensivas para hispanohablantes***
- **Multiple Choice Test Questions**

ESCUCHAR

Tape 16 • SIDE B
CD 16 • TRACKS 6–9

¿Qué categoría?

Escucha a la familia Blanco mientras tratan de decidir qué programa quieren ver. Luego subraya la categoría del programa que describen.

1. **a.** ciencia ficción **b.** horror **c.** documental
2. **a.** dibujos animados **b.** acción **c.** documental
3. **a.** concurso **b.** horror **c.** acción
4. **a.** ciencia ficción **b.** documental **c.** dibujos animados
5. **a.** entrevista **b.** documental **c.** concurso
6. **a.** misterio **b.** entrevista **c.** documental
7. **a.** acción **b.** misterio **c.** horror
8. **a.** entrevista **b.** concurso **c.** misterio

ACTIVIDAD 2

Índice de audiencia

La familia Delgado tiene hijos menores de 13 años y tienen que decidir que programas pueden ver según el índice de audiencia (*rating*). Escucha sus comentarios y di cuál es el índice de cada programa: **Apto para toda la familia**; **Se recomienda discreción**; o **Prohibido para menores.** Escribe el índice en el espacio en blanco según sus comentarios.

1. Apto para toda la familia.
2. Se recomienda discreción.
3. Prohibido para menores.
4. Prohibido para menores.
5. Prohibido para menores.
6. Apto para toda la familia.

Nombre ______________________ Clase ______________ Fecha ______________

ACTIVIDAD 3 El canal 18

Ves la tele y escuchas un anuncio sobre los programas que van a pasar hoy en el canal 18. Escucha el anuncio y escribe a qué hora van a dar cada programa.

1. Aventura: hora 4:30 p.m.
2. Ciencia ficción: hora 12:00 a.m. / medianoche
3. Dibujos animados: hora 10:00 a.m.
4. Documental: hora 2:00 p.m.
5. Horror: hora 7:00 p.m.
6. Misterio: hora 3:00 p.m.

ACTIVIDAD 4 ¿De qué se trata?

Escucha la descripción de dos películas y escoge el dibujo que corresponde a cada descripción. Para los dibujos escribe dos oraciones: una que explique de qué se trata la película y otra que identifique la categoría de la película.

a

b

c

d

1. (b) La película se trata de un artista que se roba un cuadro histórico muy valioso. Es una película de acción.
2. (d) La película se trata de los misterios de los incas y su gran ciudad, Machu Picchu. Es un documental.
3. (a) La película se trata de unos monstruos que nacen de un error científico y capturan a la ciudad de Bogotá. Es una película de ciencia ficción.
4. (c) La película se trata de un alcalde que ha desaparecido y el fiel guardaespaldas que tiene que resolver el misterio. La película es de misterio.

Nombre ______________________ Clase ______________________ Fecha ______________________

VOCABULARIO

La tele

Es domingo por la tarde y varias personas ven la tele. ¿Qué dicen? Completa sus oraciones con las palabras correctas de la lista.

a. cambia el canal
b. control remoto
c. en vivo y directo
d. grabar
e. teleserie
f. videocasetera

1. «Es un programa de entrevistas *en vivo y directo*. Están entrevistando a varios actores en este momento en sus casas».
2. «No quiero ver ese programa. Por favor *cambia el canal*».
3. «Quiero cambiar el canal. ¿Me pasas el *control remoto*?»
4. «Pon el video en la *videocasetera* para grabar este programa».
5. «No voy a estar en casa esta noche y quiero *grabar* mi programa favorito».
6. «Todos los jueves por la noche me gusta ver la *teleserie* titulada "Amigos"».

ACTIVIDAD 6

Tienda de videos

Trabajas en una tienda de videos. Varios clientes te piden películas y tú les tienes que decir en qué sección están.

1. — Por favor, busco «La invasión de los extraterrestres.»
   — *Está en la sección de ciencia ficción.*
2. — Busco un programa que se titula «Naturaleza: sobre el volcán.»
   — *Está en la sección de documentales.*
3. — ¿Tiene usted la película «Misión Imposible»?
   — *Está en la sección de acción.*
4. — Mis hijos quieren ver la historia de «La Bella y la Bestia.»
   — *Está en la sección de dibujos animados.*

Nombre ______________________ Clase ______________ Fecha ______________

Mis programas favoritos

Todos tenemos nuestros programas y películas favoritas. Nombra dos de tus programas o películas favoritas. Escribe la categoría de cada programa o película y escribe una oración que explica por qué te gusta. **Answers will vary.**

1. Título del programa/película: ______________________

   Categoría: ______________________

   ¿Por qué te gusta?: ______________________

2. Titulo del programa/película: ______________________

   Categoría: ______________________

   ¿Por qué te gusta?: ______________________

8 ¡Eres productor(a)!

Eres productor(a) de televisión. Tienes que inventar cuatro programas para la programación del otoño. Escoge cuatro categorías para tus programas y dale un título a cada uno. Luego escribe un resumen breve de qué se trata cada programa.

1. Categoría: **Answers will vary.**

   Título: ______________________

   Resumen: ______________________

2. Categoría: ______________________

   Título: ______________________

   Resumen: ______________________

3. Categoría: ______________________

   Título: ______________________

   Resumen: ______________________

4. Categoría: ______________________

   Título: ______________________

   Resumen: ______________________

Nombre ______________________ Clase ______________ Fecha ______________

GRAMÁTICA: REVIEW: USES OF PRETERITE AND IMPERFECT

ACTIVIDAD 9 La cita

Enrique y su novia Graciela salieron hace unos días. Completa las oraciones de Enrique con el pretérito o el imperfecto del verbo entre paréntesis para saber qué les pasó.

1. __Queríamos__ ir al cine. (querer/nosotros)
2. __Nos peleamos__ porque no __queríamos__ ver la misma película. (pelearse/nosotros; querer/nosotros)
3. __Decidimos__ ir a cenar para poder hablar de las opciones. (decidir/nosotros)
4. __Compré__ un periódico para ver qué __estaban__ dando en el Cineplex. (comprar/yo; estar)
5. Cuando __llegamos__ al Cineplex, ¡se habían acabado los boletos! (llegar/nosotros)

ACTIVIDAD 10 Mi tío, el ladrón

Ana María fue a ver una película y le escribió un mensaje electrónico a un amigo describiendo la película. Completa su mensaje electrónico con el pretérito o el imperfecto de los verbos entre paréntesis.

__Vi__ (ver/yo) una película muy original el otro día. El título __era__ (ser) «Mi tío, el ladrón.» __Se trataba__ (tratarse) de un señor que __caminaba__ (caminar) dormido. Lo curioso era que no __se acordaba__ (acordarse/él) de lo que hacía en sus caminatas sonámbulas. Una vez, __entró__ (entrar/él) a un restaurante que todavía __estaba__ (estar) abierto y __se robó__ (robarse) todo el dinero de la caja registradora. Esa vez la policía no __logró__ (lograr) capturarlo. El narrador, el sobrino del ladrón, __decidió__ (decidir) perseguirlo una noche para ver lo que __hacía__ (hacer/él). Cuando __se dio__ (darse/él) cuenta de que su tío __era__ (ser) ladrón, no __sabía__ (saber/él) qué hacer. Por fin decidió decírselo a sus padres pero antes de que __pudo__ (poder) hacerlo, la policía __vino__ (venir) a la casa y se explicó todo. __Fue__ (ser) una película muy chistosa. __Me reí__ (reírse/yo) mucho.

Nombre ______________________ Clase ______________ Fecha ______________

GRAMÁTICA: REVIEW: INDICATIVE AND SUBJUNCTIVE

ACTIVIDAD 11 La filmación

En una filmación, muchas cosas tienen que pasar. ¿Qué hicieron o qué harán todas las personas en la filmación? Completa las oraciones con la forma correcta del verbo entre paréntesis. Asegúrate que hayas escogido el subjuntivo o el indicativo según lo requiera la oración.

1. La actriz aprendió sus líneas en cuanto recibió el guión. (recibir)
2. El director les dará las instrucciones a los actores en cuanto lleguen. (llegar)
3. Los actores se pusieron el maquillaje después de que comieron. (comer)
4. El actor se puso el vestuario cuando se lo trajo la productora. (traer)
5. La productora llamará a los actores en cuanto le diga el director. (decir)

ACTIVIDAD 12 Yo soy el (la) director(a)

Eres el (la) director(a). Di lo que pasará o lo que ya pasó en tu filmación. Expresa cualquier duda que tengas sobre la producción. Escribe seis oraciones usando las frases del banco de palabras. Answers will vary.

en cuanto	tan pronto como	dudo que
hasta que	después de que	cuando

1. ______________________________
2. ______________________________
3. ______________________________
4. ______________________________
5. ______________________________

Nombre ______________________ Clase ______________ Fecha ______________

GRAMÁTICA: REPORTED SPEECH

13 Sergio

A tu amigo Sergio le gustan mucho las películas. Sergio te contó varias cosas que a él le gustaría hacer. Cuéntale a otro amigo lo que te dijo Sergio. Sigue el modelo.

modelo: comprar una videocasetera Dijo que compraría una videocasetera.

1. ver el documental sobre los osos gigantes Dijo que vería el documental sobre los osos gigantes.
2. cambiar el canal a las ocho Dijo que cambiaría el canal a las ocho.
3. grabar su programa favorito Dijo que grabaría su programa favorito.
4. controlar el control remoto Dijo que controlaría el control remoto.
5. comprar la tele-guía Dijo que compraría la tele-guía.

ACTIVIDAD 14 Mamá dijo que...

Tienes que cuidar a tu hermana menor. Tu mamá te dio muchas instrucciones sobre lo que no quería que hiciera tu hermana mientras ella no estaba en casa. Tú le dices a tu hermana lo que dijo tu madre. Sigue el modelo.

modelo: no ir al cine Dijo que no fueras al cine.

1. no llamar a tus amigos Dijo que no llamaras a tus amigos.
2. no acostarte muy tarde Dijo que no te acostaras muy tarde.
3. no invitar a tus amigos a la casa Dijo que no invitaras a tus amigos a la casa.
4. no alquilar un video Dijo que no alquilaras un video.
5. no comer chocolates Dijo que no comieras chocolates.
6. no tomar refrescos Dijo que no tomaras refrescos.
7. no salir después de las siete Dijo que no salieras después de las siete.
8. no pedir dinero Dijo que no pidieras dinero.
9. no jugar juegos electrónicos Dijo que no jugaras juegos electrónicos.
10. no tocar la trompeta Dijo que no tocaras la trompeta.

Nombre ______________________ Clase ______________ Fecha ______________

GRAMÁTICA: SEQUENCE OF TENSES

Quiero que...

Tienes una amiga que tiene muchas ideas de lo que tú puedes hacer con ella. Completa sus oraciones. Sigue el modelo.

modelo: tú/ir al cine/conmigo Quiero que vayas conmigo al cine.

1. tú/recogerme/en casa Quiero que me recojas en casa.
2. tú/conocer/a mis padres Quiero que conozcas a mis padres.
3. nosotros/ver/una película de acción Quiero que veamos una película de acción.
4. tú/pagar/por los boletos Quiero que pagues por los boletos.
5. tú/comprarme/un refresco Quiero que me compres un refresco.

ACTIVIDAD 16 ¡Te había dicho!

Tus padres llegan a casa y no has hecho lo que te dijeron. Ahora están enojados contigo. ¿Qué te dice cada uno? Sigue el modelo.

modelo: no encender el televisor Te había dicho que no encendieras el televisor.

1. leer en vez de ver la televisión Te había dicho que leyeras en vez de ver la televisión.
2. hacer los quehaceres Te había dicho que hicieras los quehaceres.
3. estudiar hasta las ocho Te había dicho que estudiaras hasta las ocho.
4. compartir las papitas con tus hermanos Te había dicho que compartieras las papitas con tus hermanos.
5. escucharme Te había dicho que me escucharas.

Nombre ______________________ Clase ______________ Fecha ______________

ESCUCHAR

Tape 16 • SIDE B
CD 16 • TRACKS 10, 11

Pasado y futuro

En las narraciones que has escuchado durante todas las unidades de tu cuaderno, te has enterado de cosas muy interesantes sobre el mundo latinoamericano. Ahora vas a escuchar algo que te va a impresionar. Después de escuchar esta narración, haz un recuento de tus concimientos desde las civilizaciones precolombinas hasta nuestros días y te darás cuenta de todos los adelantos de nuestros países. Sé breve y menciona solamente lo más destacado.

____

____

____

____

____

ACTIVIDAD 2

Preguntas para pensar

Escucha la narración de nuevo y piensa un poco antes de expresar tu opinión sobre las preguntas que aparecen a continuación.

1. ¿Cuáles serían las mayores sorpresas de los españoles al llegar a las tierras mencionadas en la grabación?

   Answers will vary.

2. ¿Por qué crees que hoy en día se aplica el término América solamente a Estados Unidos y se les llama a sus habitantes americanos?

   ____

3. ¿Crees que los adelantos que lograron las tres civilizaciones que se mencionan en la grabación, puedan llamarse tecnológicos? Explica tu respuesta.

   ____

4. De las tres civilizaciones mencionadas, ¿cuál te impresiona más y por qué?

   ____

5. ¿Cómo crees que se pudiera probar mejor que efectivamente, estas civilizaciones experimentaron adelantos tecnológicos?

   ____

Nombre ______________________ Clase ______________ Fecha ______________

LECTURA

3 El futuro ya llegó

Hay cosas que nunca pensaste que verías y que has visto en los últimos años. ¿Siempre son positivos los adelantos? Escribe una opinión corta y compárala con la lectura.

____

____

El futuro está aquí

¿Cómo será la vida en el futuro? Se dice que las computadoras controlaran el mundo. Las personas no tendrán quehaceres ni tendrán que salir para hacer compras. Apretaremos un botón y ¡zas! Todo se realizará en un instante.

Cuando se descubrió la electricidad, se inventó la bombilla, cuando salió el código Morse y más tarde se inventó el teléfono, el mundo pensó que había llegado al clímax de los adelantos. Todos ellos son hoy parte del pasado. Lo que ha visto el siglo XX en cuanto a tecnología es quizás lo que ningún otro siglo vio jamás. Por eso parece ser que el futuro ya llegó.

Para enviar cartas, nos sentamos frente a la computadora y mandamos el mensaje a través de correo electrónico. El teléfono, por más costoso, ya no se usa como hasta hace unos meses. El correo electrónico nos permite contacto inmediato con familiares, amigos y las personas en nuestros negocios.

Sin duda que con todo estos adelantos se ha perdido el contacto humano y nos parece que somos robots. Sin embargo, no podemos prescindir de ellas. Preferimos sacrificar las relaciones humanas antes de no experimentar la comodidad que nos brinda el futuro que ya ha llegado.

4 Una lectura animada

Dibuja tu reacción a la lectura anterior. No importa que no sepas dibujar bien. Quizás puedas ilustrar la lectura con una tira cómica y escribir comentarios. ¡Disfruta!

Nombre ______________________ Clase ______________ Fecha ______________

GRAMÁTICA: EL PRETÉRITO Y EL IMPERFECTO

5 De nuevo el indicativo

Con los verbos que aparecen en el banco de palabras, completa las oraciones usando el pretérito o el imperfecto de indicativo. Pista: El pretérito describe una acción con un principio y un fin definidos. El imperfecto describe acciones repetidas.

querer entregar imaginarse leer ir llegar saber comprar

1. Llegué ayer de mi viaje a las ruinas de Chichicastenango.
2. Nosotros íbamos todos los sábados a bañarnos al río.
3. Cuando el profesor leyó la composición de Julián se sorprendió de su excelente ortografía.
4. Te compraste esos libros el año pasado en España.
5. Mis padres querían que yo estudiara literatura.

ACTIVIDAD 6 Diferencias de usos

En cada oración debes usar los dos verbos conjugados que aparecen en paréntesis. Lee las oraciones bien para que escribas los verbos exactamente donde deben ir.

1. (escribió/pensaba) García Lorca escribió sus obras mientras pensaba en la época de la trama.
2. (nací/vivían) Mis padres vivían en Placetas cuando yo nací.
3. (llegó/quería) Don Carlos no quería salir. Por eso llegó tarde.
4. (comíamos/cayó) Nosotros siempre comíamos ahí hasta que un día nos cayó mal la comida.
5. (estaban/llamó) Ellos estaban reunidos cuando los llamó el gerente.

Nombre ______________________ Clase ______________ Fecha ______________

GRAMÁTICA: EL INDICATIVO O EL SUBJUNTIVO

ACTIVIDAD 7 Un modo u otro

Fíjate cuándo se usan los verbos en indicativo o en subjuntivo. Selecciona la conjugación correcta.

1. Iremos al correo cuando (terminar) ___termine___ la carta.
2. Iremos al correo si (terminar) ___termino___ la carta.
3. No creo que mis tíos (venir) ___vengan___ con esta tormenta.
4. Creo que mis tíos (venir) ___vienen___ aún con esta tormenta.
5. Estás seguro de que (llegar) ___llegan___ a la 1 de la tarde.
6. No estás seguro de que (llegar) ___lleguen___ a la 1 de la tarde.
7. Le parece que los exámenes (ser) ___son___ el miércoles.
8. No le parece que los exámenes (ser) ___sean___ el miércoles.

ACTIVIDAD 8 Usa más verbos

Usa los verbos que ya conoces para completar la oración. Elige entre el pretérito o el imperfecto del verbo. Suggested answers. Answers may vary.

modelo: Yo ___fui___ a la biblioteca el otro día.

1. El chico ___consiguió___ un buen trabajo.
2. Los amigos se ___reunían___ con frecuencia.
3. Yo no ___pude___ llegar a tiempo.
4. Tú ___preferías___ las canciones románticas.
5. Nos ___conocimos___ en el primer año de la escuela secundaria.
6. Ellos ___supieron___ cómo hacerlo.
7. Esa obra ___consistía___ de 3 actos.
8. Ya el autor ___terminó___ su novela.

GRAMÁTICA: DISCURSO REPORTADO

ACTIVIDAD 9 Citas famosas

Llena el espacio para completar las citas famosas. Usa el verbo entre paréntesis.

1. (decir) José Martí ___dijo___: «Honrar, honra».
2. (decir) Un pensamiento de Martí ___dice___: «Honrar honra».
3. (expresar) Eugenio María de Hostos, un pensador puertorriqueño ___expresó___: «Las revoluciones se ganan con ideas, no con odios».
4. (expresar) Una máxima de Eugenio María de Hostos ___expresa___: «Las revoluciones se ganan con ideas, no con odio».
5. (manifestar) Desilusionado, Bolívar ___manifestó___: «He arado en el mar».
6. (ser) Un pensamiento de Bolívar ___es___: «He arado en el mar».
7. (gritar) Durante el primer viaje de Colón, Rodrigo de Triana ___gritó___: «Tierra».
8. (recordar) Todos ___recordamos___ el grito de Rodrigo de Triana: «Tierra».

ACTIVIDAD 10 Tú decides

Edita la postal que le escribió Lidia a su amigo Gabriel desde Ecuador, usando los verbos correctos.
Gabriel,

Te **1.**___escribo___ (escribir) desde un lugar hermoso. Yo **2.**___estoy___ (estar) en la mitad del mundo. Cuando **3.**___vengas___ (venir) en tu viaje, ya **4.**___verás___ (ver) lo interesante que **5.**___es___ (ser) este lugar. Dudo que lo **6.**___olvide___ (olvidar) jamás. Te **7.**___contaré___ (contar) muchas cosas de este viaje maravilloso a mi regreso. Mi familia **8.**___quiere___ (querer) que me **9.**___quede___ (quedar) unos días más. **10.**___Espero___ (esperar) que papá y mamá me **11.**___dejen___ (dejar). Ya te **12.**___informaré___ (informar).

Nombre ______________ Clase ______________ Fecha ______________

GRAMÁTICA: SECUENCIA DE TIEMPOS

ACTIVIDAD 11 Contrastes

Usa los verbos en paréntesis para completar las oraciones. Fíjate que a veces tendrás que conjugarlos en el modo indicativo o en el subjuntivo.

1. (gustar) Dudo que te guste esta película.
2. (creer) Ellos no creen que René y Pilar puedan ir al cine el sábado.
3. (preferir) Preferimos que Sergio compre palomitas de maíz.
4. (salir) Puede ser que los actores salgan en vivo.
5. (haber) ¿Te parece que hayan subido el precio de entrada?
6. (pensar) Pienso que iremos al teatro para la primavera.
7. (sentar) Prefiero que nos sentemos en la fila del medio.
8. (recomendar) Los maestros recomiendan que no me pierda ese documental.

ACTIVIDAD 12 Cuestiones de televisión

Usa el indicativo o el subjuntivo, según lo requiera cada una de las oraciones a continuación. Usa los verbos del banco de palabras.

haber **funcionar** **cambiar** **tener** **arreglar** **romperse** **enojarse** **servir**

1. Si la antena parabólica se rompe, hay que arreglarla.
2. Si la antena parabólica no funciona después que la arregle el técnico, tírala.
3. Si cambias de canal, no me enojaré.
4. Aunque cambies de canal, no me enojaré.
5. Tenemos que comprar una videocasetera, ésa no sirve.
6. Tenemos que comprar una videocasetera que sirva.

ESCRITURA

13 Documentales

Explica en tus propias palabras qué entiendes por un documental. Menciona cuál es la diferencia entre un documental y un programa cultural o informativo.

Answers will vary.

14 Una película especial

Escoge, entre todas las películas que has visto, cuál fue la que más te gustó. Haz una lista de las cosas que más te impresionaron. Luego comenta la trama y las escenas más interesantes. Answers will vary.

15 Sobre telenovelas

Comenta tus puntos de vista sobre los siguientes temas. Answers will vary.

1. La popularidad de las telenovelas

2. Horario de las telenovelas

3. Diferentes tipos de telenovelas

4. Efectos de las telenovelas en el público que las ve

5. El hábito que pueden crear las telenovelas

Nombre ______________________ Clase ______________ Fecha ______________

CULTURA

Cultura hispana

Piensa en tres días festivos y cuáles son las comidas típicas que se comen en esas fiestas. Haz listas organizadas con la información y compártelas con la clase. Si quieres, puedes usar fotos o ilustraciones. **Answers will vary.**

____

____

____

____

____

La televisión hispana en Estados Unidos

Hay varias estaciones de televisión en Estados Unidos. ¿Qué piensas de los programas? Escribe tu opinión sobre los siguientes temas en el espacio en blanco. **Answers will vary.**

1. Influencia de la televisión en español en la cultura norteamericana

   ____

2. Tipos de los programas de la televisión en español

   ____

3. Tipos de los anuncios en la televisión hispana

   ____

4. Anuncios exclusivos para el público hispano

   ____

5. Noticieros en la televisión hispana

   ____

Nombre ____________________ Clase ____________________ Fecha ____________________

1 Cómo pasar el tiempo en casa

Estudiante A

Pregúntale a tu compañero(a) qué tiene y qué usa para disfrutar de los programas de televisión. Después, contesta las preguntas de tu compañero(a) sobre lo que tú haces para divertirte.

¿Cómo disfruta tu compañero(a) de la televisión?

____

____

____

____

Estudiante B

Contesta las preguntas de tu compañero(a) sobre lo que tienes y lo que usas para disfrutar de los programas de televisión. Después, pregúntale a tu compañero(a) sobre lo que él o ella hace para divertirse.

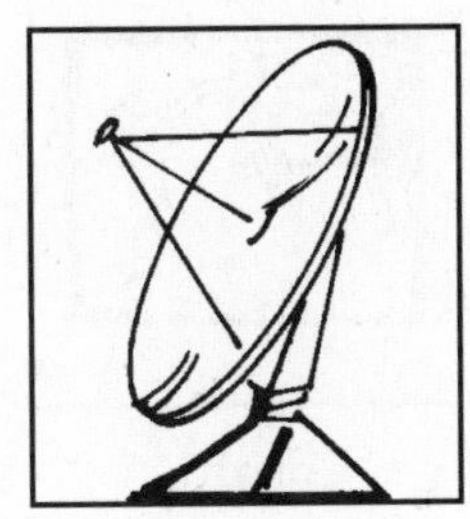

¿Qué hace tu compañero(a) para divertirse?

____

____

____

____

Nombre ______________________ Clase ______________ Fecha ______________

2 ¿Qué hay en la tele?

Estudiante A

Pregúntale a tu compañero(a) qué clase de programas hay en la tele esta noche y en qué canal. Después, dile a tu compañero(a) qué clase de programas prefieren en tu familia.

Papá

mi hermana

mis hermanitos

mi mamá

¿Qué clase de programas hay en la tele esta noche y en qué canal?

____

____

____

____

Estudiante B

Dile a tu compañero(a) qué clase de programas hay en la tele esta noche y en qué canal. Después, pregúntale a tu compañero(a) qué clase de progamas prefieren en su familia.

Canal 2

Canal 5

Canal 12

Canal 25

¿Qué clase de progamas prefieren en la familia de tu compañero(a)?

____

____

____

____

Nombre ______________________ Clase ______________ Fecha ______________

3 Amigos famosos

Estudiante A

Pregúntale a tu compañero(a) qué hacen sus amigos que trabajan en la tele. Después, dile a tu compañero(a) lo que hacen tus amigos que trabajan en la tele.

Trevor Ruiz

Olivia Rendón

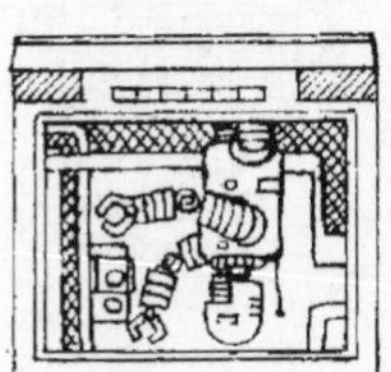

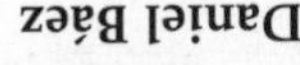

Daniel Báez

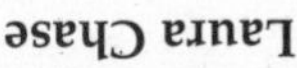

Laura Chase

¿Qué hacen los amigos de tu compañero(a) en la tele?

____

____

____

____

Estudiante B

Dile a tu compañero(a) lo que hacen tus amigos que trabajan en la tele. Después, pregúntale a tu compañero(a) qué hacen sus amigos que trabajan en la tele.

Miguel Camacho

Susana Chung

Héctor Chávez

Mariana Rodríguez

¿Qué hacen los amigos de tu compañero(a) en la tele?

____

____

____

____

Nombre ______________________ Clase ______________ Fecha ______________

4 Índice de audiencia

Estudiante A

Pregúntale a tu compañero(a) qué índice de audiencia tienen los programas de esta noche. Después, contesta las preguntas de tu compañero(a) sobre los tipos de programas que ustedes han mirado en familia esta semana.

Cocodrilos de África

Vacaciones en Caracas

¿Qué? ¿Quién?

España 3
Argentina 2

¿Qué índice de audiencia tienen los programas de esta noche?

____

____

____

____

Estudiante B

Contesta las preguntas de tu compañero(a) sobre qué índice de audiencia tienen los programas de esta noche. Después, pregúntale a tu compañero cuáles son los programas que ha mirado en familia esta semana.

Apto para niños.

Apto para toda la familia.

Se recomienda discreción.

Apto para toda la familia.

¿Qué programas han mirado tu compañero(a) y su familia esta semana?

____

____

____

____

Nombre _______________ Clase _______________ Fecha _______________

LA PROGRAMACIÓN

Interview a family member and ask him or her to choose three types of television shows he or she would like to watch.

- First explain what the assignment is.
- Then ask him or her the question below.
  ¿Cuáles son los tres programas que pondrías?
- Don't forget to model the pronunciation of the kinds of programs so that he or she feels comfortable saying them in Spanish. Point to the name of each kind of program as you say the words.
- After you get the answer, complete the sentence at the bottom of the page.

un documental

una comedia

un programa de entrevistas

un concurso

unos dibujos animados

un programa de acción

Pondría _______________, _______________ y _______________.

Nombre ______________________ Clase ______________ Fecha ______________

APARATOS PARA LA TELEVISIÓN

Interview a family member and ask him or her to say which of these items he or she has now and which, if any, he or she would like to get in the future.

- First explain what the assignment is.
- Then ask him or her the questions below.
  ¿Cuáles de estos aparatos quieres? ¿Cuáles tienes?
- Don't forget to model the pronunciation of the various items so that he or she feels comfortable saying them in Spanish. Point to the name of each item as you say the words.
- After you have the answer, complete the sentence at the bottom of the page.

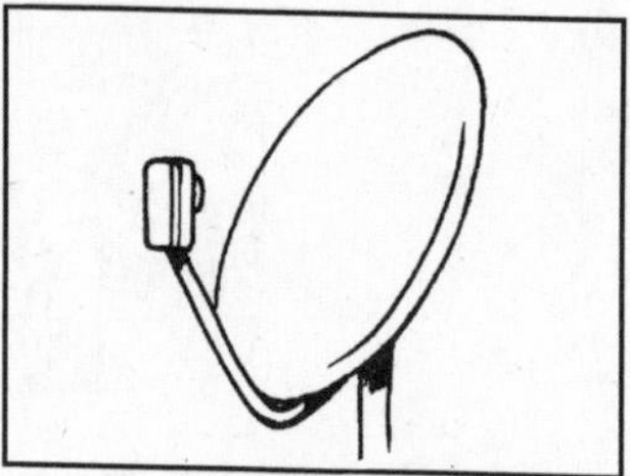

la antena parabólica

la televisión por cable

la videocasetera

el control remoto

Tengo ______________________. Quiero ______________________.

En vivo, Pupil's Edition Level 3 pages 394–395

Disc 16 Track 1

¿Qué vamos a ver?

2 Escucha la conversación entre los Domínguez. Copia la tabla en tu libro y marca **sí** junto a los programas que deciden ver, y no junto a los que no deciden ver. Luego, escribe la hora de los programas que van a ver este domingo.

Papá: Mira, a las dos van a pasar un documental sobre las Islas Galápagos. A ver, aquí dice que «Las Islas Galápagos son uno de los pocos laboratorios vivientes a escala natural que existen en el planeta». ¿No les parece interesante?

Hijo: ¡Ay, papá! ¡Un documental! ¡Qué aburrido! ¿Por qué no vemos esta película de acción? También es a las dos.

Mamá: A ver, ¿cuál, hijo?

Hijo: Ésta, «Alarma nuclear».

Mamá: Pero hijo, aquí dice que esa película es prohibida para menores.

Hija: Yo quiero ver este teledrama «El pasado perdido».

Papá: Ésa no empieza hasta las tres, así que primero podemos ver el documental de las islas Galápagos, y entonces podemos ver tu teledrama.

Hijo: ¡No es justo! Yo quiero escoger algo también.

Papá: Está bien, Riqui, sigue buscando. Como está lloviendo, creo que vamos a pasar casi todo el día viendo la tele.

Hijo: Bueno, ésta. Es una película de horror «Vino del lago».

Mamá: Ay, Riqui. No ves que dice que «se recomienda discreción»? Busca una película que sea apta para toda la familia, ¿no crees?

Hijo: ¡Uy, qué aburrido!

Mamá: ¡Mira, Riqui! ¿Qué te parece este misterio? «Mí tío, el ladrón».

Hija: Y empieza a las cuatro, después de que termina el teledrama.

Hijo: Bueno, está bien. Parece interesante.

Papá: Entonces ya estamos de acuerdo. Pongan el documental, ¡que ya va a empezar!

Hijo: Uy, documental. Despiértenme cuando empiece el misterio.

En acción, Pupil's Edition Level 3 pages 399, 402

Disc 16 Track 2

Actividad 5 La escritora

Estás viendo un documental sobre escritores famosos. Escucha la entrevista con la escritora. Decide si ella siempre hacía las cosas indicadas, o si las hizo solo una vez.

Escritora: Cuando era niña, siempre iba al cine los domingos por la mañana. (1) Me encantaban las comedias. Si iba a estrenar una comedia, yo estaba allí. (2) Un día, me enfermé y no pude ir al cine para ver mi actriz favorita en su nueva película. (3) Mientras me perdía le película más importante del año, empecé a escribir un guión. (4) La fiebre le dio vuelo a mi imaginación. Escribí por horas sin parar. (5) Como era muy exagerada, siempre les decía a mis padres que un día iba a ser famosa. (6) Lo que no sabía era que mi talento no estaba en la actuación. Ese día me di cuenta que iba a ser escritora.

Disc 16 Track 3

Actividad 11 Jorge

Escuchas la conversación de Jorge. Mientras escuchas, tu hermanita te pregunta qué dice Jorge. Más tarde, tu hermanita te pregunta qué dijo Jorge.

modelo: ¿Qué dice? Voy a ir al cine esta tarde.

1. Voy a buscar una película de acción.
2. Voy a ver la nueva película de mi actor favorito.
3. Anda, ven conmigo.
4. Bueno, si no quieres ir, voy a invitar a mi hermano.

En voces, Pupil's Edition
Level 3 pages 406–407

Disc 16 Track 4

Lectura
Brillo afuera, oscuridad en casa

Farándula es una revista sobre la programación de televisión en Venezuela. Esta revista también ofrece artículos sobre actores populares de Venezuela, de toda América Latina, de Estados Unidos y Europa.

Introducción

Vas a leer un artículo sobre una telenovela que se llama «Amor mío», uno de los programas de origen venezolano más populares en Estados Unidos.

Brillo afuera, oscuridad en casa

«Amor mío»: Si bien en nuestra tierra esta telenovela pasó por debajo de la mesa, en Estados Unidos brilla como un sol, al estar en el primer lugar de los veinte programas más vistos de este país. Astrid Gruber y Julio Pererira (sus protagonistas) consiguieron fuera el éxito que nunca encontraron en casa…

Los programas de habla hispana son cada vez más populares en Estados Unidos. Al parecer, la creciente población latina de ese país es la razón principal. Pero lo importante de todo esto es que en esta área le llevamos ventaja a muchas naciones, pues nuestra televisión es una de las más vistas.

Es así como en los actuales momentos, según el *ranking* que incluyen los veintes primeros espacios de la televisión emanados de la Nilsen Hispanic Televisión, tenemos tres muy buenas posiciones. «Sábado Senacional», por su parte, ocupa el puesto número siete, «Maite» está en el puesto tres y, como gran victoria, encontramos a la novela «Amor Mío» en el primer lugar.

Sus protagonistas, Astrid Gruber y Julio Pereria, son idolatrados (como nunca aquí) en los Estados Unidos al igual que los creadores del drama que son Isamar Hernández, Ricardo García y Manuel Manzano.

Ahora sí pueden cantar victoria y no pasar por debajo de la mesa. Por tanto, demostramos que, una vez más, existe brillo afuera y oscuridad en casa.

Disc 16 Track 5

Resumen de la lectura
Brillo afuera, oscuridad en casa

El artículo de la revista *Farándula* explica que los programas en español son cada vez más populares en los Estados Unidos por la creciente población latina en nuestro país. La telenovela «Amor mío» ha tenido mucho éxito en Estados Unidos y está en el primer lugar según el *ranking* de programas. Entonces, es cierto que un programa como «Amor mío» puede tener éxito al extranjero y a la vez puede pasar debajo de la mesa en su tierra natal.

Más práctica
pages 137–138

Disc 16 Track 6

Actividad 1 ¿Qué categoría?

Escucha a la familia Blanco mientras tratan de decidir qué programa quieren ver. Luego subraya la categoría del programa que describen.

1. ¿Por qué no vemos este programa? Se trata de los animales de la selva tropical de Costa Rica.
2. Los niños quieren ver éste. Es el clásico infantil de Blanacanieves.
3. Mejor veamos este programa. Se titula Fugitivos y se trata de unos detectives profesionales.
4. Yo quiero ver éste. Es el año 3000 y los seres humanos se han convertido en robots.
5. Este programa me parece más divertido. Las personas que participan pueden ganar millones de dólares.
6. No, no, no. Mira. ¡En este programa van a entrevistar a mis actores favoritos! Tenemos que poner éste.
7. Yo prefiero este programa. Un animal misterioso sale del lago y aterroriza a un pueblo colombiano.
8. ¡Mira éste! No se sabe quién se llevó el reloj del pueblo y los detectives creen que fue un conocido.

Disc 16 Track 7

Actividad 2 Índice de audiencia

La familia Delgado tiene hijos menores de 13 años y tienen que decidir qué programas pueden ver según el índice de audiencia. Escucha sus comentarios y di cuál es el índice de cada programa: Apto para toda la familia; Se recomienda discreción; o Prohibido para menores. Escribe el índice en el espacio en blanco según sus comentarios.

1. Es una comedia que se trata de identidades equivocadas. Lo podemos ver todos.
2. Es un drama bastante serio. No creo que lo deben ver los menores de 13 años.

3. Creo que el programa trata de temas adultos. No sé si podamos verlo.

4. Creo que la niña no podrá dormir si ve este programa.

5. ¡Pero yo ya soy grande! Puedo ver programas aptos para toda la familia. Si papá y mamá ven el programa, yo también.

6. Son dibujos animados muy divertidos. Aunque el programa sea un poco juvenil, creo que nos gustaría a todos.

Disc 16 Track 8

Actividad 3 El canal 18

Ves la tele y escuchas un anuncio sobre los programas que van a pasar hoy en el canal 18. Escucha el anuncio y escribe a qué hora van a dar cada programa.

Anuncio: Hoy va a ser un día muy emocionante en el canal 18. Empezamos el día a las diez de la mañana con el clásico juvenil Cenicienta. A las dos de la tarde hay un programa fabuloso sobre las ruinas de los incas en Machu Picchu. Seguimos la programación a las tres con una película llena de misterio: ¿Cómo salió el mago del coche sin abrir la puerta? A las cuatro y media, seguimos con una película que examina las aventuras de un grupo de alpinistas cuando suben la montaña Everest. A las siete de la noche, podrán ver una película que inspira terror en los más valientes. Y si todavía no se han acostado, a la medianoche pueden ver una película que trata sobre el futuro controlado por las computadoras. Muchas gracias y que pasen buen día.

Disc 16 Track 9

Actividad 4 ¿De qué se trata?

Escucha la descripción de cuatro películas y escoge el dibujo que corresponde a cada descripción. Debajo de los dibujos escribe dos oraciones: una que explique de qué se trata la película y otra que identifique la categoría de la película.

1. Un artista roba un cuadro histórico y lo persiguen unos agentes del gobierno.

2. Se investigan los misterios de los incas y su gran ciudad Machu Picchu.

3. Unos monstruos nacen de un error científico e invaden la ciudad de Bogotá.

4. El alcalde ha sido asesinado y su fiel guardaespaldas tiene que resolver el misterio.

Para hispanohablantes page 137

Disc 16 Track 10

Actividad 1 Pasado y futuro

En las narraciones que has escuchado durante todas las unidades de tu cuaderno, te has enterado de cosas muy interesantes sobre el mundo latinoamericano. Ahora vas a escuchar algo que te va a impresionar. Después de escuchar esta narración, haz un recuento de tus conocimientos desde las civilizaciones precolombinas hasta nuestros días y te darás cuenta de todos los adelantos de nuestros países. Sé breve y menciona solamente lo más destacado y lo que recuerdas vívidamente.

Narrator: Una sorpresa llamada América

América es un continente de sorpresas. Parece ser que siempre lo fue desde tiempos remotos. Antes de la llegada de los europeos a estas tierras, grandes e impresionantes civilizaciones crecieron en mayor y menor grado. De ahí la sorpresa de los españoles cuando llegaron a estas tierras.

Si bien es verdad que el término América se usa para hablar sobre ambos continentes, el del norte y el del sur, lo que nos preocupa en este breve ensayo, es la parte que hoy llamamos Latinoamérica. Por ello es que hablaremos de las civilizaciones que habitaron estas tierras.

Se reconocen como fundamentales, tres civilizaciones muy avanzadas que son, de norte a sur, la azteca con su capital en Tenochtitlán, la maya-quiché en la península de Yucatán y Guatemala y la quechua en el alto Perú. Las tres son conocidas por sus grandes adelantos, que en términos modernos podríamos llamar tecnológicos.

Bajo el gobierno de Moctezuma, el emperador azteca, la sociedad azteca practicó un sistema de gobierno complejo de alianzas políticas y conquistas. Su ciudad capital, situada en una laguna, se comunicaba con las áreas alrededor por medio de puentes.

La civilización maya-quiché logró enormes adelantos científicos para los cuales necesitaron un sistema avanzado de computación. Quizás conocieron el cero mucho antes que otras civilizaciones en el resto del mundo antiguo. Vivían bajo una sociedad estructurada que necesitaba de conocimientos avanzados para mantenerla.

La civilización quechua, cuyos monarcas eran los incas, mantenían su civilización en constante progreso. Habían desarrollado un sistema en forma de terrazas para llevar agua a sus cosechas. Este tipo de terrazas fue necesario porque sus ciudades estaban en las montañas andinas hasta donde llevaron enormes bloques de piedra para sus edificios y templos.

Además de ser un continente de sorpresas, América es un continente que tiene una rica historia de cultura y civilización.

Disc 16 Track 11

Actividad 2 Preguntas para pensar

Escucha la narración de nuevo y piensa un poco antes de expresar tu opinión sobre las preguntas que aparecen a continuación.

Etapa Exam Forms A & B pages 29 and 34

Disc 20 Track 15

A. Javier Montalván habla de la televisión. Escucha lo que dice y después indica cuál de las posibilidades completa mejor estas oraciones. Strategy: Remember to listen carefully as you think about the vocabulary you have learned to talk about television. Read through the questions so that you will know what to listen for.

Examen para hispanohablantes page 39

Disc 20 Track 15

A. Javier Montalván habla de la televisión. Escucha ol que dice y después contesta las preguntas que siguien. Strategy: Remember to listen carefully as you think about the vocabulary you have learned to talk about television. Read through the questions so that you will know what to listen for.

Javier Montalván: Me llamo Javier Montalván y mi mamá es directora de televisión. Me gusta la profesión de mi mamá y algún día pienso estudiar dirección o para manejar las cámaras de televisión. A veces, mi madre me lleva con ella a ver cómo se graban los programas de televisión. Esto siempre es muy interesante. Conozco actores, técnicos de sonido y técnicos de efectos especiales. Los efectos especiales también me interesan mucho. En el programa «Monstruos», por ejemplo, usan un monstruo de dos pulgadas, pero utilizando una computadora, parece más grande que el edificio más alto de la ciudad. Joaquín Moreira, el técnico de sonido, me enseñó cómo hacen los sonidos del monstruo grabando una voz humana a una velocidad muy lenta. A mi amiga Sara esos ruidos la sorprenden, aunque le he explicado que son efectos especiales.

Sin embargo, cuando oigo que mi madre dice, «Luces, cámara, acción!», sé que es hora de buscar una silla y observar. Cualquier ruido puede interrumpir la grabación, o quitarle la concentración a los actores. Mi madre tiene mucha paciencia, porque hay veces que tienen que grabar la misma escena una y otra vez, ya que los actores están distraídos. Esto es lo único que no me gusta del trabajo de mi mamá. Creo que mejor soy productor.

Nombre ______________________ Clase ______________ Fecha ______________

COOPERATIVE QUIZZES

QUIZ 1 Preterite vs. Imperfect

Completa las oraciones con el pretérito o imperfecto de los verbos entre paréntesis.

1. —¿No fuiste a la fiesta?

   —No, no ______________ (poder). ______________ (estar) enferma.

2. —Yo no ______________ (saber) que conocías a Teresa Moliner.

   —La ______________ (conocer) ayer en casa de Juan Pedro Cifuentes.

3. Ya ______________ (ser) tarde cuando por fin yo ______________ (terminar) el informe.

4. Nosotros no ______________ (saber) qué hacer cuando de repente Marcela ______________ (tener) una idea.

5. Yo ______________ (encender) la tele para ver si en el noticiero ______________ (comentarse) las elecciones.

QUIZ 2 Indicative vs. Subjunctive

Completa las siguientes oraciones con la forma correcta del verbo entre paréntesis.

1. Dudo que Alicia y Esteban ______________ (poder) ir a la fiesta.
2. Te llamé tan pronto como yo ______________ (leer) la carta.
3. Los niños se acostarán después de que ______________ (llegar) papá.
4. —Es posible que llueva hoy. ¿Nos quedamos en casa?

   —Lo siento, pero tenemos que salir aunque ______________ (llover).

5. Esperé hasta que los niños ______________ (terminar) de comer.

Nombre ______________________ Clase ______________ Fecha ______________

QUIZ 3 Reported Speech

Completa estas oraciones con la forma correcta del verbo entre paréntesis.

1. Si mamá les dijo a los niños que ______________ (comer), ¿por qué no comieron?
2. Te dije que me ______________ (esperar) delante del colegio. ¿Por qué no estabas?
3. Marcos no podía hacer el trabajo él solo. Por eso le dije que yo lo ______________ (ayudar).
4. Carlos dice que él no ______________ (venir). Está muy ocupado.
5. Siempre te digo que no ______________ (hacer) ruido, pero nunca me haces caso.

QUIZ 4 Sequence of Tenses

Completa estas oraciones con la forma correcta del verbo entre paréntesis.

1. Yo prefería que los niños no ______________ (mirar) aquel programa de horror.
2. Te había pedido que no ______________ (encender) la tele.
3. Insisto en que los chicos ______________ (hacer) su tarea.
4. También querré que los chicos ______________ (cenar).
5. Nunca me ha gustado que los chicos ______________ (ver) tanta televisión.

Nombre ______________________ Clase ______________ Fecha ______________

Test-taking Strategy: Remember, if you are having trouble, don't be afraid to make a guess. Sometimes an educated guess is better than no answer.

ESCUCHAR

Tape 20 • SIDE B
CD 20 • TRACK 15

A. Javier Montalván habla de la televisión. Escucha lo que dice y después indica cuál de las posibilidades completa mejor estas oraciones. **Strategy: Remember to listen carefully as you think about the vocabulary you have learned to talk about television. Read through the questions so that you will know what to listen for.** (10 puntos)

1. Javier Montalván quiere estudiar ______.

a. química. Quiere ser científico.

b. medicina. Va a ser médico porque su papá es médico.

c. dirección y el manejo de cámaras de televisión.

d. fotografía. Siempre lleva una cámara.

2. Javier va al trabajo con su mamá y ve ______.

a. cómo se construyen los edificios

b. sistemas avanzados de computadoras

c. toda la ciudad desde la oficina de su mamá

d. cómo se hacen los efectos especiales

3. El técnico de sonido hace los sonidos ______.

a. del automóvil

b. del monstruo

c. de la máquina de escribir

d. del tren

4. Cuando se va a grabar una escena, Javier ______.

a. hace los efectos especiales

b. busca vestuario para la escena

c. ayuda a su mamá

d. busca una silla y observa

5. Javier piensa que para ser director hay que ______.

a. tener prisa

b. ser muy trabajador

c. hablar tres idiomas

d. tener mucha paciencia

Nombre ______________________ Clase ______________ Fecha ______________

LECTURA Y CULTURA

Lee lo que dice el hermano de Isabel Pedregal sobre los programas de televisión. **Strategy: Remember what you have learned about television programs as you read the passage.** (10 puntos)

Mi hermana se llama Isabel Pedregal. Vivía y trabajaba en la Ciudad de México. Era directora de programación en el canal cuatro cuando conoció a Felipe Lares que es venezolano. Son novios y se van a casar en septiembre. A Felipe le ofrecieron un puesto excelente en el canal doce en Caracas. No quería aceptarlo porque no quería dejar a Isabel en México. Pero ella insistió en que lo aceptara y le dijo que buscaría empleo en uno de los canales de televisión en Caracas. Ahora viven en Caracas.

Isabel consiguió un buen puesto en el canal donde trabaja Felipe. Es directora de programación. Trata de poner los mejores programas. Actualmente tienen unos programas de concurso que son muy populares con el público. «Lotería» es muy popular porque a todos les gusta ganar. El programa de entrevista con la anfitriona Carla Faría es muy popular también. El canal doce ha ganado premios por su teledrama «Pandereta del Caribe».

Acaban de comenzar nuevos programas para niños en el canal. Sólo quieren poner programas que sean aptos para toda la familia, nada sensacionalista. Se usa un índice de audiencia.

B. ¿Comprendiste? Lee las siguientes oraciones y marca con un círculo alrededor de la **C** si la oración es cierta o la **F** si es falsa. (10 puntos)

C F **1.** Isabel Pedregal se casó con Felipe Lares en la Ciudad de México.

C F **2.** Isabel y Felipe trabajan en el canal doce en Caracas.

C F **3.** El canal doce ha ganado premios por «Lotería».

C F **4.** Isabel es anfitriona en un programa de entrevista.

C F **5.** A Isabel le gusta que haya programas para niños.

C. ¿Qué piensas? Contesta las siguientes preguntas. (10 puntos)

1. ¿Qué te parece la programación del canal doce?

____

____

2. ¿Es bueno que se use un índice de audiencia para los programas de televisión? ¿Por qué (no)?

____

____

VOCABULARIO Y GRAMÁTICA

D. **¿Quién soy?** Mira la ilustración y completa las oraciones. **Strategy: Remember the vocabulary you learned to talk about televisión.** (10 puntos)

1. Conmigo puedes ver programas en vivo y en directo de todas partes del mundo. Soy...
2. Usándome puedes grabar tu programa favorito cuando no estás en casa. Soy...
3. Cuando no quieres levantarte para cambiar el canal, puedes usarme. Soy...
4. ¿Quieres saber cuándo empieza tu programa favorito? Léeme. Soy...
5. Soy la programación que más les gusta a los niños y niñas. Soy...

E. Completa las oraciones con el pretérito o el imperfecto del verbo. (10 puntos)

1. Yo ______________ (estar) viendo un programa de misterio cuando tú ______________ (llamar).
2. Anita ______________ (grabar) el teledrama mientras nosotros ______________ (almorzar).
3. Cuando ustedes ______________ (ser) niños, ¿______________ (ir) mucho al cine?
4. La película ______________ (tener) una trama interesante pero no nos ______________ (gustar) los actores.
5. El programa de horror ______________ (empezar) a las diez cuando ______________ (sonar) el teléfono.

Nombre ______________________ Clase ______________ Fecha ______________

F. Completa las oraciones con el **indicativo** o el **subjuntivo** del verbo. (10 puntos)

1. Dejaremos de hablarnos cuando ____________ (comenzar) las noticias.
2. No dudan que tú ____________ (tener) televisión por cable.
3. Usted sabrá lo que hay en la tele tan pronto como ____________ (leer) la tele-guía.
4. No tenían videocasetera hasta que yo les ____________ (dar) una ayer.
5. Cambiarán de canal en cuanto ____________ (haber) anuncios.

G. Escribe oraciones usando estos elementos para indicar lo que alguien **dice** o **dijo.** (10 puntos)

buscar	**a la una**
salir	**una antena parabólica**
hacer	**los quehaceres**
grabar	**el control remoto**
comprar	**su programa favorito**

1. ¿Qué dice?
____
2. ¿Qué dijo?
____
3. ¿Qué dice?
____
4. ¿Qué dijo?
____
5. ¿Qué dice?
____

ESCRITURA

H. Escribe un párrafo en una hoja aparte, describiendo los aparatos de televisión que tienes o que piensas tener. **Strategy: Remember to use the table below to help you organize the vocabulary you learned for television equipment.** (15 puntos)

Aparato o tipo de televisión	Para qué sirve

Writing Criteria	Scale
Vocabulary Usage	1 2 3 4 5

Writing Criteria	Scale
Accuracy	1 2 3 4 5

Writing Criteria	Scale
Organization	1 2 3 4 5

HABLAR

I. Contesta las preguntas sobre los programas de televisión que más te gustan. Usa la tabla para organizar tus ideas. **Strategy: Remember to think about the television programs you watch.** (15 puntos)

Nombre del programa	Clase de programa	Trama y personajes
1.		
2.		
3.		
4.		
5.		

1. ¿Qué programa de acción te gusta más?
2. ¿Cuál es tu programa de misterio favorito?
3. ¿Te interesan los programas de concurso?
4. ¿Lees una tele-guía?
5. ¿Cómo se llama la teleserie o el teledrama que más te gusta?

Speaking Criteria	Scale
Vocabulary Usage	1 2 3 4 5

Speaking Criteria	Scale
Accuracy	1 2 3 4 5

Speaking Criteria	Scale
Organization	1 2 3 4 5

Nombre ______________________ Clase ______________ Fecha ______________

Test-taking Strategy: Remember, if you are having trouble, don't be afraid to make a guess. Sometimes an educated guess is better than no answer.

ESCUCHAR

Tape 20 • SIDE B
CD 20 • TRACK 15

A. Javier Montalván habla de la televisión. Escucha lo que dice y después indica cuál de las posibilidades completa mejor estas oraciones. **Strategy: Remember to listen carefully as you think about the vocabulary you have learned to talk about television. Read through the questions so that you will know what to listen for.** (10 puntos)

1. Javier Montalván quiere estudiar ______.

a. medicina. Va a ser médico porque su papá es médico.

b. química. Quiere ser científico.

c. fotografía. Siempre lleva una cámara.

d. dirección y el manejo de cámaras de televisión.

2. Javier va al trabajo con su mamá y ve ______.

a. toda la ciudad desde la oficina de su mamá

b. sistemas avanzados de computadoras

c. cómo se construyen los edificios

d. cómo se hacen los efectos especiales

3. El técnico de sonido hace los sonidos ______.

a. del tren

b. de la máquina de escribir

c. del monstruo

d. del automóvil

4. Cuando se va a grabar una escena, Javier ______.

a. ayuda a su mamá

b. busca vestuario para la escena

c. hace los efectos especiales

d. busca una silla y observa

5. Javier piensa que para ser director hay que ______.

a. ser muy trabajador

b. tener prisa

c. tener mucha paciencia

d. hablar tres idiomas

Nombre ______________________ Clase ______________ Fecha ______________

LECTURA Y CULTURA

Lee lo que dice le hermana de Olivia Alonso sobre los programas de televisión. **Strategy: Remember what you have learned about television programs as you read the passage.** (10 puntos)

Mi hermana se llama Olivia Alonso. Vivía y trabajaba en la Ciudad de México. Era directora de programación en el canal cuatro cuando conoció a Jacobo Padilla que es venezolano. Son novios y se van a casar en septiembre. A Jacobo le ofrecieron un puesto excelente en el canal doce en Caracas. No quería aceptarlo porque no quería dejar a Olivia en México. Pero ella insistió en que lo aceptara y le dijo que ella buscaría empleo en uno de los canales de televisión en Caracas. Por eso viven en Caracas ahora.

Olivia consiguió un buen puesto en el canal donde trabaja Jacobo. Es directora de programación. Trata de poner los mejores programas. Actualmente tienen unos programas de concurso que son muy populares con el público. «Lotería» es muy popular porque a todos les gusta ganar. El programa de entrevista con la anfitriona Carla Faría es muy popular también. El canal doce ha ganado premios por su teledrama «Pandereta del Caribe».

Acaban de comenzar nuevos programas para niños en el canal. Sólo quieren poner programas que sean aptos para toda la familia, nada sensacionalista. Se usa un índice de audiencia.

B. ¿Comprendiste? Lee las siguientes oraciones y marca con un círculo alrededor de la **C** si la oración es cierta o la **F** si es falsa. (10 puntos)

C F **1.** Olivia Alonso se casó con Jacobo Padilla en la Ciudad de México.

C F **2.** Olivia y Jacobo trabajan en el canal doce en Caracas.

C F **3.** Olivia es anfitriona en un programa de entrevista.

C F **4.** El canal doce ha ganado premios por «Lotería».

C F **5.** A Olivia le gusta haya programas para niños.

C. ¿Qué piensas? Contesta las siguientes preguntas. (10 puntos)

1. ¿Es bueno que se use un índice de audiencia para los programas de televisión? ¿Por qué (no)?

____

____

2. ¿Qué te parece la programación del canal doce?

____

____

Nombre ____________________ Clase ____________________ Fecha ____________________

VOCABULARIO Y GRAMÁTICA

D. ¿Quién soy? Mira la ilustración y completa las oraciones. **Strategy: Remember the vocabulary you learned to talk about televisión.** (10 puntos)

1. Usándome puedes grabar tu programa favorito cuando no estás en casa. Soy...
2. Cuando no quieres levantarte para cambiar el canal, puedes usarme. Soy...
3. ¿Quieres saber cuándo empieza tu programa favorito? Léeme. Soy...
4. Soy la programación que más les gusta a los niños y niñas. Soy...
5. Conmigo puedes ver programas en vivo y en directo de todas partes del mundo. Soy...

E. Completa las oraciones con el pretérito o el imperfecto del verbo. (10 puntos)

1. El programa de horror ________________ (empezar) a las diez cuando ________________ (sonar) el teléfono
2. La película ________________ (tener) una trama interesante pero no nos ________________ (gustar) los actores.
3. Cuando ustedes ________________ (ser) niños, ¿________________ (ir) mucho al cine?
4. Anita ________________ (grabar) el teledrama mientras nosotros ________________ (almorzar).
5. Yo ________________ (estar) viendo un programa de misterio cuando tú ________________ (llamar).

Nombre ______________________ Clase ______________ Fecha ______________

F. Completa las oraciones con el indicativo o el subjuntivo del verbo. (10 puntos)

1. Cambiarán de canal en cuanto ______________ (haber) anuncios.

2. No tenían videocasetera hasta que yo les ______________ (dar) una ayer.

3. Usted sabrá lo que hay en la tele tan pronto como ______________ (leer) la tele-guía.

4. No dudan que tú ______________ (tener) televisión por cable.

5. Dejaremos de hablarnos cuando ______________ (comenzar) las noticias.

G. Escribe oraciones con estos elementos para indicar lo que alguien **dice** o **dijo.** (10 puntos)

buscar	**a la una**
salir	**una antena parabólica**
hacer	**los quehaceres**
grabar	**el control remoto**
comprar	**su programa favorito**

1. ¿Qué dice?

____

2. ¿Qué dijo?

____

3. ¿Qué dice?

____

4. ¿Qué dijo?

____

5. ¿Qué dice?

____

Nombre ______________________ Clase ______________ Fecha ______________

ESCRITURA

H. Escribe un párrafo en una hoja aparte, describiendo los aparatos de televisión que tienes o que piensas tener. **Strategy: Remember to use the table below to help you organize the vocabulary you learned for television equipment.** (15 puntos)

Aparato o tipo de televisión	Para qué sirve

Writing Criteria	Scale
Vocabulary Usage	1 2 3 4 5

Writing Criteria	Scale
Accuracy	1 2 3 4 5

Writing Criteria	Scale
Organization	1 2 3 4 5

HABLAR

I. Contesta las preguntas sobre los programas de televisión que más te gustan. Usa la tabla para organizar tus ideas. **Strategy: Remember to think about the television programs you watch.** (15 puntos)

Nombre del programa	Clase de programa	Trama y personajes
1.		
2.		
3.		
4.		
5.		

1. ¿Qué programa de acción te gusta más?
2. ¿Cuál es tu programa de misterio favorito?
3. ¿Te interesan los programas de concurso?
4. ¿Lees una tele-guía?
5. ¿Cómo se llama la teleserie o el teledrama que más te gusta?

Speaking Criteria	Scale
Vocabulary Usage	1 2 3 4 5

Speaking Criteria	Scale
Accuracy	1 2 3 4 5

Speaking Criteria	Scale
Organization	1 2 3 4 5

Nombre ______________________ Clase ______________ Fecha ______________

Test-taking Strategy: Remember, if you are having trouble, don't be afraid to make a guess. Sometimes an educated guess is better than no answer.

ESCUCHAR

Tape 20 • SIDE B
CD 20 • TRACK 15

A. Javier Montalván habla de la televisión. Escucha lo que dice y después contesta las preguntas que siguen. **Strategy: Remember to listen carefully as you think about the vocabulary you have learned to talk about television. Read through the questions so that you will know what to listen for.** (10 puntos)

1. ¿Qué hace la mamá de Javier?

____

____

2. ¿Qué cosas le interesan a Javier cuando va con su mamá al trabajo?

____

____

3. ¿Quién es Joaquin Moreira? ¿Cómo hace el ruido del monstruo?

____

____

4. ¿Qué hace Javier a la hora de grabar el programa?

____

____

5. ¿Qué cree Javier que va a estudiar? ¿Por qué?

____

____

Nombre _______________ Clase _______________ Fecha _______________

LECTURA Y CULTURA

Lee lo que dice Gloria Prado sobre la televisión y su familia. **Strategy: Remember what you have learned about television programs as you read the passage.** (10 puntos)

Me llamo Gloria Prado. Yo cuido a mis tres sobrinos. Laura, la mayor tiene diez años. Ana Luisa, la segunda tiene ocho y Manolín, el menor, tiene cuatro. No permito que vean demasiada televisión. Ellos verían más, pero prefiero que se dediquen a otras cosas.

A Laura, la mayor, le gustan las teleseries y las telenovelas. Es muy romántica y le encantan las historias de amor. Por eso la animo a leer libros con historias sentimentales en vez de verlas en la televisión.

Ana Luisa tiene otros intereses. Le fascinan los animales y la naturaleza, y siempre pregunta cuándo hay documentales sobre estos temas. Le enseñé a leer la teleguía para identificar los programas que sean de su interés. No me preocupa que vea esos programas porque aprende viéndolos.

A Manolín le gustan los programas de acción, como a todos los niños. Pero hay demasiada violencia en esos programas. Por eso trato de entretenerlo con juguetes, libros y juegos para niños en vez de dejarlo ver esos programas.

¿Y a mí? Bueno, me gustan las películas de los años cuarenta y también los noticieros, que veo todos los días. De vez en cuando miro un programa de concurso también. Lo malo de cuidar a mis sobrinos es que siempre nos peleamos por el control remoto.

B. **¿Comprendiste?** Lee las siguientes oraciones y traza un círculo alrededor de la **C** si la oración es cierta o la **F** si es falsa. (10 puntos)

C F **1.** Gloria no deja que sus sobrinos vean televisión.

C F **2.** A Laura le gustan los programas de acción y las películas de los años cuarenta.

C F **3.** Gloria entretiene a Manolín con juguetes y libros para que no le interese la televisión.

C F **4.** Gloria nunca mira los programas de concurso.

C F **5.** Gloria trata de ver la tele cuando los niños están acostados.

C. **¿Qué piensas?** Contesta las siguientes preguntas. (10 puntos)

1. ¿Por qué no quiere Gloria que sus sobrinos vean tanta televisión?

____

____

2. ¿Cuáles actividades recomendarías para los niños en vez de ver televisión?

____

____

Nombre ______________ Clase ______________ Fecha ______________

VOCABULARIO Y GRAMÁTICA

D. ¿Quién soy? Mira la ilustración y completa las oraciones. **Strategy: Remember the vocabulary you learned to talk about televisión.** (10 puntos)

1. Cuando no quieres levantarte para cambiar el canal, puedes usarme. Soy...
2. ¿Quieres saber cuándo empieza tu programa favorito? Léeme. Soy...
3. Usándome puedes grabar tu programa favorito cuando no estás en casa. Soy...
4. Conmigo puedes ver programas en vivo y en directo de todas partes del mundo.

   Soy...
5. Soy la programación que más les gusta a los niños y niñas. Soy...

E. Vuelve a escribir estas oraciones en el pasado escogiendo entre el pretérito y el imperfecto. (10 puntos)

1. Estoy viendo un programa de misterio hasta que tú llamas.

   ____
2. Anita graba el teledrama mientras nosotros almorzamos.

   ____
3. Cuando Carlos y Paula son niños, ¿van mucho al cine?

   ____
4. La película tiene una trama interesante pero no nos gustan los actores.

   ____
5. El programa de horror empieza el sábado a las diez cuando tú me telefoneas.

   ____

Nombre ______________________ Clase ______________ Fecha ______________

F. Completa las oraciones con el indicativo o el subjuntivo del verbo. (10 puntos)

1. Dejaremos de hablarnos cuando ______________ (comenzar) las noticias.
2. No cabe duda de que tú ______________ (tener) televisión por cable.
3. Usted verá todo lo que ponen en la tele tan pronto como ______________ (leer) la tele-guía.
4. No tenían videocasetera hasta que yo les ______________ (dar) una ayer.
5. Cambiarán de canal en cuanto ______________ (ellos) (poner) los anuncios.

G. Escribe oraciones con estos elementos indicando lo que alguien **dice** o **dijo.** (10 puntos)

buscar	**a la una**
salir	**una antena parabólica**
hacer	**los quehaceres**
grabar	**el control remoto**
comprar	**su programa favorito**

1. ¿Qué dice?
   ____
2. ¿Qué dijo?
   ____
3. ¿Qué dice?
   ____
4. ¿Qué dijo?
   ____
5. ¿Qué dice?
   ____

Nombre ______________________ Clase ______________ Fecha ______________

ESCRITURA

H. Escribe un párrafo en una hoja aparte, describiendo los aparatos de televisión que tienes o que piensas tener. **Strategy: Remember to use the table below to help you organize the vocabulary you learned for television equipment.** (15 puntos)

Aparato o tipo de televisión	Para qué sirve

Writing Criteria	Scale
Vocabulary Usage	1 2 3 4 5

Writing Criteria	Scale
Accuracy	1 2 3 4 5

Writing Criteria	Scale
Organization	1 2 3 4 5

HABLAR

I. Contesta las preguntas sobre los programas de televisión que más te gustan. Usa la tabla para organizar tus ideas. **Strategy: Remember to think about the television programs you watch.** (15 puntos)

Nombre del programa	Clase de programa	Trama y personajes
1.		
2.		
3.		
4.		
5.		

1. ¿Qué programa de acción te gusta más?
2. ¿Cuál es tu programa de misterio favorito?
3. ¿Te interesan los programas de concurso?
4. ¿Lees una tele-guía?
5. ¿Cómo se llama la teleserie o el teledrama que más te gusta?

Speaking Criteria	Scale
Vocabulary Usage	1 2 3 4 5

Speaking Criteria	Scale
Accuracy	1 2 3 4 5

Speaking Criteria	Scale
Organization	1 2 3 4 5

Nombre ______________________ Clase ______________ Fecha ______________

PORTFOLIO ASSESSMENT

Ustedes los guionistas

Using the TV listings on pages 392 and 393 of your textbook as a springboard, work with a partner to create the outline of two TV shows, each one of a different type, for example a children's show and a mystery. Your outlines should be longer and more detailed than those on pages 392 and 393 and should include a suitability rating. Try your hand at creating an illustration for the show, either hand drawn or cut from a magazine. You may want to use a school situation as a basis for a show. The shows created by all the teams in the class can be displayed as the listings for your school's new TV station.

Goal: A copy of your listings to be placed in your portfolio.

Scoring:

Criteria/Scale 1–4	(1)	Poor	(2)	Fair	(3)	Good	(4)	Excellent
Vocabulary use	1	Limited vocabulary use	2	Some attempt to use known vocabulary	3	Good use of vocabulary	4	Excellent use of vocabulary
Written accuracy	1	Written Spanish not easily understood	2	Good try, but many major mistakes	3	Well written, clear, comprehensible	4	Very well written
Creativity	1	Little effort shown to create interesting TV shows	2	Some attempt at writing interesting TV listings	3	Students showed imagination and creativity in their project	4	Excellent use of creative faculties and imagination
Clarity	1	Descriptions virtually incomprehensible	2	Some serious problems in descriptions made comprehension difficult	3	Descriptions well thought out and easy to follow	4	Excellent, clever descriptions that engaged other students

A = 13–16 pts. B = 10–12 pts. C = 7–9 pts. D = 4–6 pts. F = < 4 pts.

Total Score: ______________________________

Comments: ______________________________

PORTFOLIO ASSESSMENT

Encuesta

Working with a partner, develop a survey to find out what your classmates like to watch on TV. To make the survey more revealing about TV tastes in your area, you can include questions about what other family members like to watch. Write the questions for your survey and interview about 20 students, both boys and girls. Tabulate the results by sex and age, and see if you can discover any patterns. Present the results to the class.

Goal: A copy of your questions and a printout of your results to place in your portfolio.

Scoring:

Criteria/Scale 1–4	(1)	Poor	(2)	Fair	(3)	Good	(4)	Excellent
Quality of questions	1	Questions incomprehensible and/or not relevant	2	Some serious flaws in questions	3	Survey well thought out	4	Developed excellent survey
Vocabulary	1	Limited vocabulary use	2	Some attempt to use known vocabulary	3	Good use of vocabulary	4	Excellent use of vocabulary
Grammar accuracy	1	Errors prevent comprehension	2	Some grammar errors throughout	3	Good use of grammar	4	Excellent use of grammar
Effort	1	Work shows little effort	2	Some effort shown, but not enough to produce good results	3	Survey shows good effort put forth	4	Excellent and successful effort made

A = 13–16 pts. B = 10–12 pts. C = 7–9 pts. D = 4–6 pts. F = < 4 pts.

Total Score: ______________________________

Comments: ______________________________

ESCUCHAR

Tape 17 • SIDE B
CD 17 • TRACKS 4–7

1 Equipos necesarios

Termina las oraciones de Mariana con el equipo electrónico que necesita.

1. una computadora portátil
2. una grabadora
3. un teléfono celular
4. un telemensaje
5. el identificador de llamadas

2 Mundo de los descuentos

Escucha el anuncio de «Mundo de los descuentos». Luego escribe el nombre del producto y el precio que ofrecen debajo del dibujo que corresponde.

altoparlantes,
80.000 bolívares

equipo estereofónico,
85.000 bolívares

televisor portátil,
50.000 bolívares

videocámara,
250.000 bolívares

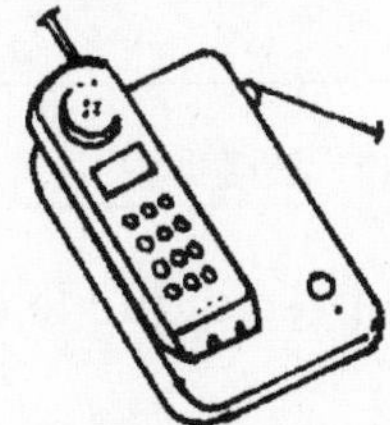

teléfono inalámbrico,
16.000 bolívares

radio portátil,
13.5000 bolívares

Nombre ______________________ Clase ______________ Fecha ______________

ACTIVIDAD 3 ¿Debes comprarlo o no?

Escucha lo que dicen estos dependientes de varios productos electrónicos. Luego, marca si son buenos productos que debes comprar o no.

1. _x_ Debo comprarlo.
   ___ No debo comprarlo.

2. ___ Debo comprarlo.
   _x_ No debo comprarlo.

3. ___ Debo comprarlo.
   _x_ No debo comprarlo.

4. _x_ Debo comprarlo.
   ___ No debo comprarlo.

5. ___ Debo comprarlo.
   _x_ No debo comprarlo.

ACTIVIDAD 4 CompuVisión

Una cliente entra a CompuVisión a comprar un producto electrónico. Escucha la conversación entre el empleado y la cliente. Luego, contesta las preguntas siguientes con oraciones completas.

1. ¿Por qué va la cliente a CompuVisión? porque su computadora está descompuesta
2. ¿Qué le dice el empleado de las marcas que venden? que venden las marcas más conocidas de todo el mercado
3. ¿Qué intenta hacer el empleado? Intenta convencer a la cliente que compre la computadora portátil.
4. ¿Cuánto le ofrece de descuento? 25%
5. ¿Cómo describe el empleado el precio que le está ofreciendo? inigualable
6. ¿Qué clase de garantía le ofrece con la computadora portátil? de un año

Nombre ______ Clase ______ Fecha ______

VOCABULARIO

¡Me encantan!

A tu amiga le encantan los productos electrónicos. Completa sus oraciones con las palabras de la lista.

a. descompuesta
b. asistente electrónico
c. fax multifuncional
d. garantía
e. identificador de llamadas
f. beeper

1. Adoro mi asistente electrónico. ¡Es mejor que la guía telefónica!
2. Mi beeper tiene muchas funciones: puede guardar 19 mensajes personales y también puede recibir 15 servicios informativos de noticias, tráfico y clima.
3. Mi fax multifuncional funciona como fax, impresora y copiadora.
4. Con el identificador de llamadas, puedo saber quién llama antes de contestar el teléfono.
5. Mi computadora está descompuesta pero no estoy preocupada porque la garantía cubre todas las reparaciones necesarias.

Actividad 6 Los comentarios

Estás en la tienda ElectroMundo y escuchas varias conversaciones. Complétalas con las palabras del banco de palabras.

marcas, me equivoqué, fíjese, distinguir, funcionar, descompuesto, convenció

1. Me equivoqué. Pensaba que el descuento era de 25%, pero es sólo de 15%.
2. El empleado me convenció que comprara la computadora portátil.
3. Hay muchas marcas de computadoras pero decidí comprar una conocida porque creo que tendré menos problemas con ella.
4. Fíjese usted en la pantalla electrónica con mayor nitidez.
5. Es difícil distinguir entre los productos electrónicos porque hay tantos modelos y tantas marcas.

Nombre ______ Clase ______ Fecha ______

Me quisiera comprar...

Quieres comprar varios productos electrónicos. Di cuáles te gustaría comprar y por qué crees que ese producto mejoraría tu vida. **Answers will vary.**

modelo: Yo me quisiera comprar una computadora portátil. Así podría hacer la tarea en casa de mis amigos o en la biblioteca.

1.

2.

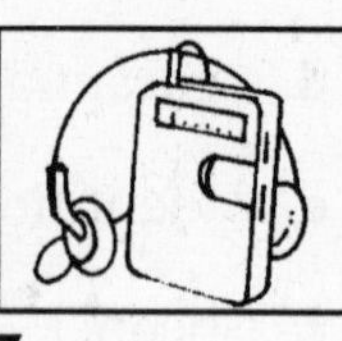
3.

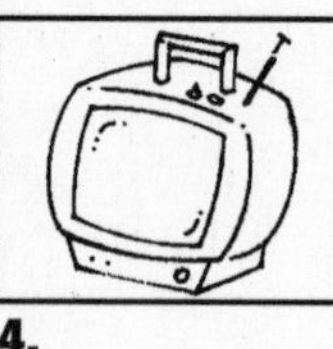
4.

5.

6.

1. ______
2. ______
3. ______
4. ______
5. ______
6. ______

ACTIVIDAD 8

¡Cómpreselo!

Trabajas en la tienda ElectroMundo. Quieres convencer a tres clientes que compren varios productos electrónicos. Explícales las ventajas del producto, el descuento que les puedes ofrecer, la marca del producto, la garantía que acompaña el producto y todos los demás detalles. **Answers will vary.**

1. ______

______

______

2. ______

______

______

3. ______

______

______

Nombre ______________________ Clase ______________ Fecha ______________

GRAMÁTICA: REVIEW: CONJUNCTIONS

ACTIVIDAD 9 Las condiciones

Los clientes de una tienda de productos electrónicos quieren comprar varios productos. Completa sus comentarios con la forma correcta de la frase entre paréntesis.

modelo: Voy a comprar el fax multifuncional antes de que (terminarse el descuento) se termine el descuento.

1. Voy a comprar el equipo estereofónico hoy a menos que (ellos/no tener la marca que quiero) no tengan la marca que quiero.
2. Voy a comprar la videocámara en ElectroMundo con tal de que (ellos/ofrecerme un buen precio) me ofrezcan un buen precio.
3. Voy a comprar una computadora portátil en caso de que (yo/viajar mucho este año) viaje mucho este año.
4. Voy a comprar un beeper para que mi familia siempre (poder ponerse en contacto conmigo) pueda ponerse en contacto conmigo.

ACTIVIDAD 10 En casa

Tu familia habla de los productos electrónicos que buscan o que tienen. Completa sus oraciones con la frase entre paréntesis. Escoge entre el indicativo y el subjuntivo.

1. Devolveré el equipo estereofónico (tan pronto como/yo/poder) tan pronto como pueda.
2. Buscaré la marca que quiero (hasta que/yo/encontrarla) hasta que la encuentre.
3. Cómprate la computadora portátil (cuando/tú/necesitarla) cuando la necesites.
4. Me equivoqué de precio (cuando/yo/escuchar el anuncio) cuando escuché el anuncio.

Unidad 6 Etapa 2 CUADERNO Más práctica

Nombre ____________ Clase ____________ Fecha ____________

GRAMÁTICA: REVIEW: PREPOSITIONS OF LOCATION

¿Dónde están?

Tu papá te pregunta dónde están varias cosas. ¿Qué le dices? Para cada cosa, escoge lugares lógicos de la lista. Contesta sus preguntas en oraciones completas.

encima de la mesa	enfrente del banco	dentro del garaje
encima del televisor	debajo de la cama	afuera

1. ¿Dónde está la tienda de equipo electrónico? Está enfrente del banco, papá.
2. ¿Dónde están mis zapatos? Están debajo de la cama, papá.
3. ¿Dónde está el coche? Está dentro del garaje, papá.
4. ¿Dónde está el teléfono inalámbrico? Está encima de la mesa, papá.
5. ¿Dónde está el perro? Está afuera, papá.
6. ¿Dónde está el control remoto? Está encima del televisor, papá.

ACTIVIDAD 12

En la tienda de productos electrónicos

Imagina que trabajas en una tienda de productos electrónicos. Varios clientes te preguntan por ciertos productos. Escribe cuatro preguntas que te hacen los clientes, luego escribe tus contestaciones. Usa adverbios y preposiciones de lugar.

modelo: —Perdón, ¿me puede decir dónde puedo encontrar los teléfonos celulares?
—Sí, cómo no. Están en la sección de teléfonos, al lado de los teléfonos inalámbricos.

1. Answers will vary.
2. ____________
3. ____________
4. ____________

Nombre ______________________ Clase ______________ Fecha ______________

GRAMÁTICA: *pero* VS. *sino*

Irene

Irene quería comprar un teléfono celular. Visitó dos tiendas, pero no pudo comprarlo. ¿Qué le pasó? Completa sus oraciones con pero, sino, o sino que.

1. No quería comprar un teléfono inalámbrico sino uno celular.
2. Fui a la tienda de equipo electrónico pero no tenían la marca que quería.
3. No fui a ElectroMundo sino a El Mundo de los Descuentos.
4. Ofrecían un descuento pero no una garantía.
5. Entonces fui a ElectroMundo pero estaba cerrado.

Unidad 6 Etapa 2 CUADERNO Más práctica

¿Qué quiere?

Marcos quiere hacer varias cosas. ¿Qué quiere? Di lo que quiere hacer. Escribe oraciones completas usando **sino, sino que** o **pero**. Sigue el modelo:

modelo: comprar una computadora portátil—no tener suficiente dinero
Quiero comprar una computadora portátil pero no tengo suficiente dinero.

1. comprar un beeper—no necesitarlo
   Quiero comprar un beeper pero no lo necesito.
2. no comprar un fax—una computadora portátil
   No quiero comprar un fax sino una computadora portátil.
3. no comprar una marca desconocida—una conocida
   No quiero comprar una marca desconocida sino una conocida.
4. escuchar los mensajes en la contestadora automática—no tener tiempo
   Quiero escuchar los mensajes en la contestadora automática pero no tengo tiempo.

Consejos

Tienes que darle consejos a un amigo que va a comprar unos productos electrónicos. ¿Qué le dices? Usa **pero, sino** o **sino que** para darle cuatro consejos. Answers will vary.

modelo: No debes comprar el fax multifuncional sino alquilarlo.

1. ______________________
2. ______________________
3. ______________________
4. ______________________

Nombre ____________________ Clase ____________ Fecha ____________

GRAMÁTICA: *se* FOR UNPLANNED OCCURRENCES

Lo inesperado

Siempre pasan cosas inesperadas. Ayer fue un día en el que les pasaron muchas cosas inesperadas a todos. Completa las oraciones para contar lo que pasó ayer.

1. a nosotros (acabar las tortillas) Se nos acabaron las tortillas.
2. a mí (descomponer el aire acondicionado) Se me descompuso el aire acondicionado.
3. a ella (perder los anteojos) Se le perdieron los anteojos.
4. a ellos (acabar el dinero) Se les acabó el dinero.
5. a ti (caer el vaso) Se te cayó el vaso.

¡Qué día!

Ayer fue un día horrible. Te pasaron muchas cosas terribles. Escribe cinco oraciones describiendo lo que te pasó. Utiliza las palabras de la lista y emplea **se** para eventos inesperados. Answers will vary.

descomponerse perderse caerse olvidarse

1. ____________________
2. ____________________
3. ____________________
4. ____________________
5. ____________________

Unidad 6 Etapa 2

CUADERNO Más práctica

Nombre ______________________ Clase ______________ Fecha ______________

ESCUCHAR

Tape 17 • SIDE B
CD 17 • TRACKS 8–10

Una conversación actual

Escucha la conversacion telefónica entre Óscar y Vicente y después imagina cómo se harían las cosas cuando no había los equipos electrónicos actuales. Escribe tus impresiones de los negocios ahora y antes. Answers will vary.

ACTIVIDAD 2 Un mundo acelerado

Escucha la conversacion telefónica otra vez. Anota todos los números de teléfono que le dio Óscar a Vicente, los números de fax, las direcciones de correo electrónico y la dirección de la página web.

1. Número de teléfono (oficina) 333-456-1234 Extensión 0102
2. Número de teléfono (celular) 444-678-4567
3. Fax (casa) 555-901-8901
4. Fax (oficina) 333-456-4321
5. Fax (personal) 333-456-2314
6. Correo electrónico (personal) oscar@sudmex.net
7. Correo electrónico (casa) osnan@easy.com
8. Página web http://www.hispanomarket.co

ACTIVIDAD 3 Preferencias

Piensa en cómo tus abuelos conducían sus negocios y cómo los harías tú hoy en día. Escribe las diferencias. Answers will vary.

Unidad 6 Etapa 2
CUADERNO Para hispanohablantes

Nombre ______ Clase ______ Fecha ______

LECTURA

Tu negocio

Piensa en un negocio que te gustaría empezar. Explica por qué te gusta y cuáles son las posibilidades de éxito. **Answers will vary.**

Un negocio interesante

Gladys, Alberto y Lourdes decidieron unirse y comenzar un negocio de piedras. Ellos comenzaron hace muchos años a coleccionar piedras raras que se fueron encontrando por los caminos y por lugares donde caminaban. Han llegado a tener una colección fabulosa.

El negocio de ellos va a fabricar objetos artísticos y curiosos con su colección de piedras. En realidad los tres tienen talento artístico y pueden crear cosas muy curiosas e interesantes de cualquier cosa que tengan a la mano. Ya han hecho algunas muestras y sus amistades los animaron para que comenzaran la manufactura y venta de objetos raros de piedras.

Han hecho un análisis del mercado y es muy favorable. Ellos no van a establecerse en un lugar determinado, sino que van a conducir el negocio desde sus casas a través de catálogos y del Internet. Ya tienen su sitio en la red y dicen que muchas órdenes van llegando. Es más, andan buscando quién los pueda ayudar a hacer sus artefactos de piedra.

Como todos los adelantos que hay hoy en día para mercadear sus productos, ellos piensan volverse millonarios en cuestión de unos años. Ellos opinan que cualquiera que sepa usar los recursos que brinda la tecnología puede convertirse en millonario de la noche a la mañana.

ACTIVIDAD 5

Ideas sobre tecnología

Escribe tus ideas sobre el uso inteligente de la tecnología y lo que puede contribuir a nuestra vida. **Answers will vary.**

Nombre ______________________ Clase ______________ Fecha ______________

GRAMÁTICA: CONJUNCIONES

Repasar conjunciones

Escoge la conjunción apropiada. Pista: Fíjate en el verbo y determina si está en subjuntivo o indicativo lo que ayudará a usar la conjunción correcta.

1. (a menos que / cuando) Vamos al teatro a menos que llueva demasiado.
2. (sin que / con tal que) Lo llevarán al parque de diversiones con tal que no se porte mal.
3. (en caso de que / cuando) En caso de que llegues tarde, no te preocupes, yo te guardaré un asiento.
4. (en cuanto / para que) En cuanto salió de la tienda, notó que había dejado el paquete.

Usa las conjunciones

Forma oraciones completas en que hablas de la tecnología usando las conjunciones que aparecen abajo.

hasta que | en caso de que | a menos que | a menos que | aunque | en cuanto | para que | sin que

1. teléfono funcionar mal yo poder usarlo

   El teléfono funciona mal aunque yo lo puedo usar.

2. La copiadora costar cara comprarse en rebaja

   La copiadora cuesta cara a menos que se compre en rebaja.

3. no llegar los discos ustedes usar los viejos formados de nuevo

   En caso de que no lleguen los discos, usen ustedes los viejos formados de nuevo.

4. llamar gerente comunicarme enseguida

   En cuanto llame el gerente me comunican enseguida.

Nombre ______________________ Clase ______________ Fecha ______________

GRAMÁTICA: PREPOSICIONES

Lugar

Para indicarle a tu amigo el lugar de ciertas cosas, elige la preposición que corresponda en cada oración.

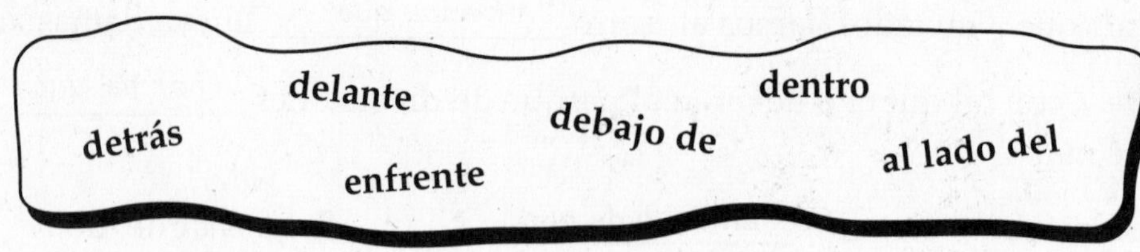

1. Él se cayó al lado del puente, pero no fue gran cosa.
2. Tengo el regalo guardado debajo de la cama para que no lo vea nadie.
3. Se sentaron en el asiento de atrás para que no los molestaran.
4. Puse las flores delante de los libros para que se vieran bien.
5. El perro está dentro de la habitación durmiendo en su esquina.
6. La casa queda enfrente del correo.
7. El enchufe está detrás del armario.

Actividad 9 Ahora te toca a ti

Escribe cinco oraciones que requieran usos de conjunciones. Recuerda usar los verbos conjugados correctamente según las conjunciones que uses. Answers will vary.

____

____

____

____

____

Unidad 6
Etapa 2

CUADERNO
Para hispanohablantes

GRAMÁTICA: *pero* O *sino*

Pero o *sino*, vamos a ver

Completa las oraciones usando **pero** o **sino**.

1. No es ésa ___sino___ aquélla.
2. No lo sabes hacer, ___pero___ lo haces de todas maneras.
3. No es que se llevara la beca ___sino___ que la ganó entre más de cien que se presentaron.
4. Yo no lo quería comprar, ___pero___ en realidad lo necesito.
5. Deseábamos ir a Europa, ___pero___ el pasaje es carísimo.
6. No solamente habla francés ___sino___ ruso y alemán también.
7. Mercedes y Víctor no llegaron a tiempo a la boda, ___pero___ al menos disfrutaron de la recepción.
8. La que nos vendieron no era la amarilla ___sino___ la verde.

ACTIVIDAD 11

Preguntas que contestar

Usa tu imaginación para contestar las preguntas usando preposiciones y adverbios de lugar. Answers will vary.

1. ¿Dónde pusiste el libro de matemáticas?

   ____

2. ¿Dónde están las casas que fabricaron hace poco?

   ____

3. ¿Dónde tienes la bicicleta?

   ____

4. ¿Dónde pusieron los lápices y los bolígrafos?

   ____

5. ¿Dónde guardaría el profesor los currículos para la clase?

   ____

Nombre ______________________ Clase ______________ Fecha ______________

ACTIVIDAD 12 Ocurrencias

Para cosas que suceden sin que podamos controlarlas, ya has estudiado que en español usa se más un pronombre de complemento y el verbo en tercera persona. Fíjate en el modelo y después completa las oraciones.

modelo: (caer) Mientras daba su brillante conferencia ______ el bolígrafo.
Mientras daba su brillante conferencia se le cayo el bolígrafo.

1. (ocurrir) A mí se me ocurrió la idea de quitarle la silla.
2. (quitar) Se nos quitaron las ganas de comer.
3. (olvidar) En medio del concierto, al pobre violinista se le olvidó la música.
4. (perder) El perro se les perdió a nuestros vecinos.
5. (quemar) No nos dimos cuenta y se nos quemó el pastel.
6. (escapar) Cuando vieron a los padres llegar, se les escapó un grito de alegría.

ACTIVIDAD 13 Más ocurrencias

Completa las ocurrencias desenredando la frase entre paréntesis que las completa correctamente.

1. A los calvos (caelesse) se les cae el pelo todos los días, nunca lo llevan puesto.
2. A cualquiera (gotaselea) se le agota la paciencia.
3. (permedieseron) Se me perdieron los zapatos por eso ando descalza.
4. (ronserompienos) Se nos rompieron todos los relojes así no nos preocupamos de llegar a ningún lado.
5. Cuando me paro en las manos (quitamese) se me quita el dolor de cabeza.
6. (pusedeslescomso) Se les descompuso el carro y todavía están esperando que se les componga.
7. (asecatebó) Se te acabó la buena vida, ahora ponte a trabajar.
8. A Regina y a Emilia (ronlequeseda) se le quedaron las llaves dentro y rompieron la ventana.

Nombre ______________________ Clase ______________ Fecha ______________

ESCRITURA

14 Comunicación celular

Describe cómo funciona un teléfono celular y menciona los usos importantes que brinda. **Answers will vary.**

____

____

____

____

____

15 Los faxes modernos

Expresa tu opinión sobre las máquinas de FAX y si crees que van a desaparecer ante los otros adelantos como el correo electrónico que pasa información instantánea de un lugar a otro. **Answers will vary.**

____

____

____

____

____

16 Teléfonos con receptores de televisión

Hace unos años salieron teléfono con receptores de televisión de modo que las personas pueden verse mientras se hablan sin importar la distancia que las separe. Habla del efecto de este aparato en la vida privada de las personas. Explica tus opiniones. **Answers will vary.**

____

____

____

____

____

Nombre ______ Clase ______ Fecha ______

CULTURA

Cultura rápida

Comenta qué efectos crees que tendrá nuestra vida rápida. ¿Hay más tiempo libre o más trabajo? ¿Por qué? Da por lo menos tres ejemplos. **Answers will vary.**

El teléfono celular

El mundo está cambiando y muchas personas ahora tienen teléfonos celulares. Expresa tus puntos de vista sobre el uso de este aparato en relación con los siguientes temas.

1. los enfermos

   Answers will vary.

2. comunicación entre padres e hijos

3. el personal de emergencia

4. personal que provee servicios

5. gente joven para mantenerse en contacto

Nombre ______________________ Clase ______________ Fecha ______________

1 La electrónica

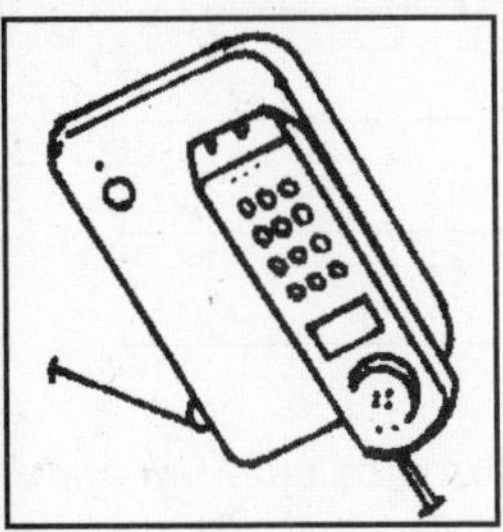

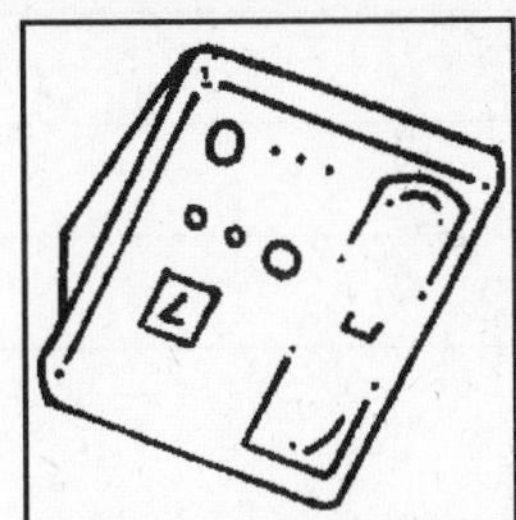
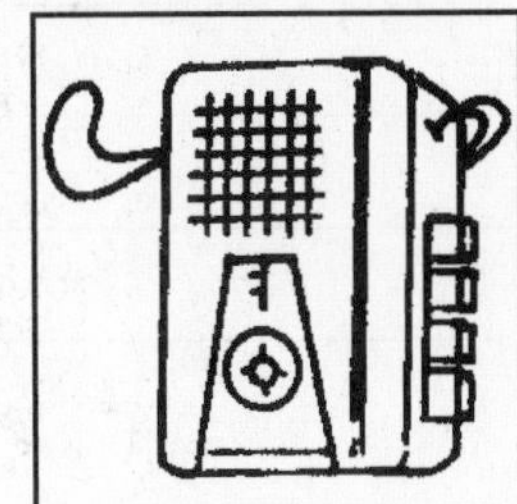

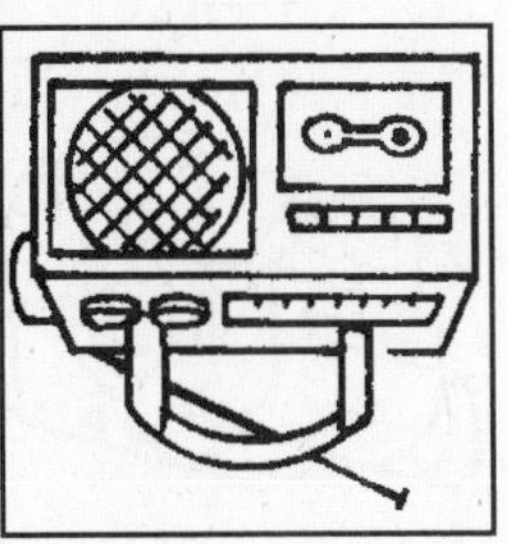
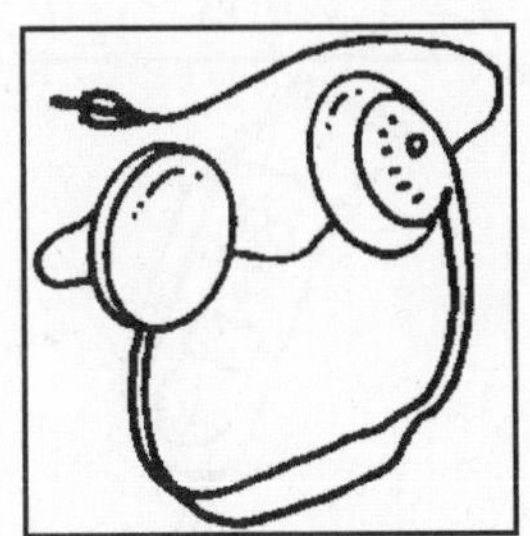

Estudiante A

Tú y tu compañero(a) están en un almacén de aparatos electrónicos. Dile a tu compañero(a) qué aparatos te interesan a ti.

Estudiante B

Tú y tu compañero(a) están en un almacén de aparatos electrónicos. Pregúntale a tu compañero(a) qué aparatos le interesan.

¿Qué aparatos le interesan a tu compañero(a)?

____

____

____

____

____

____

____

____

Nombre ______________________ Clase ______________ Fecha ______________

2 En el almacén

Estudiante A

Pregúntale a tu compañero(a) qué necesita hoy en el almacén. Después, dile a tu compañero(a) qué les vas a regalar a las personas de tu familia.

Papá

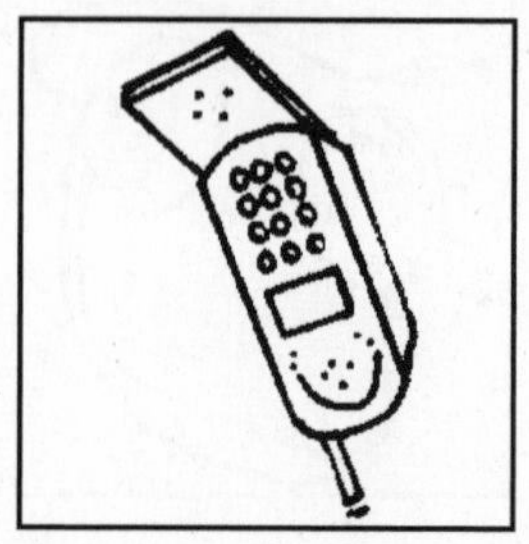

Mamá

Mi abuela

A mi hermano

¿Qué necesita tu compañero(a) en el almacén hoy?

____

____

____

____

Estudiante B

Dile a tu compañero(a) qué necesitas hoy en el almacén. Después, pregúntale a tu compañero(a) lo que él o ella va a regalar a las personas de su familia.

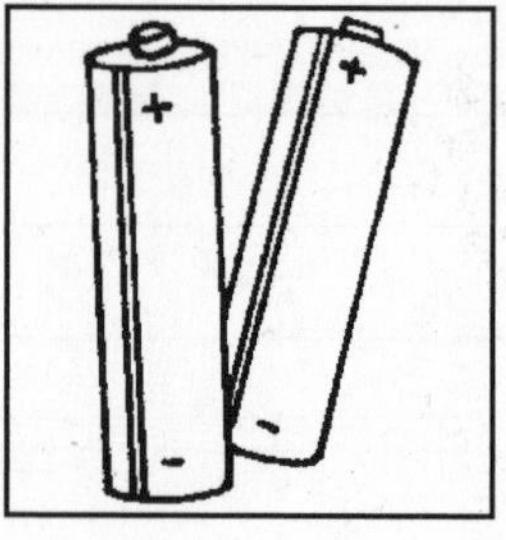

¿Qué les va a regalar tu compañero(a) a las personas de su familia?

____

____

____

____

Nombre ______________________ Clase ______________ Fecha ______________

3 Mensajes y música

Estudiante A

Pregúntale a tu compañero(a) qué usa para recibir mensajes. Después, dile a tu compañero(a) lo que usas para oír música y ver videos de música.

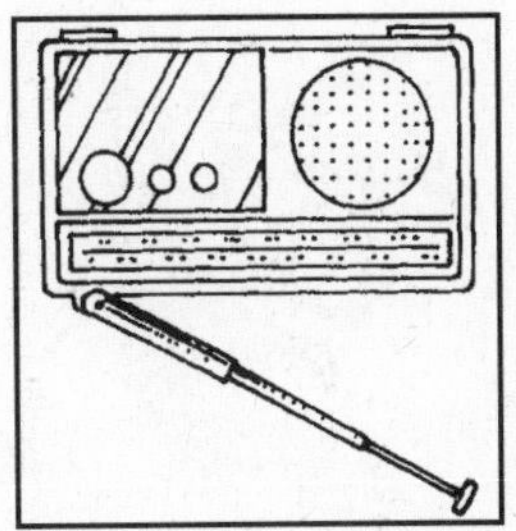

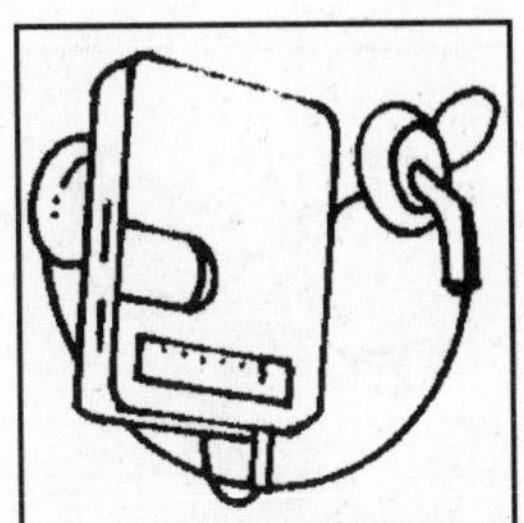

¿Qué usa tu compañero(a) para recibir mensajes?

____

____

____

____

Estudiante B

Dile a tu compañero(a) lo que usas para recibir mensajes. Después, pregúntale a tu compañero(a) qué usa para oír música y ver videos de música.

¿Qué usa tu compañero(a) para oír música?

____

____

____

____

Nombre ____________________ Clase ____________ Fecha ____________

4 Problemas con los aparatos

Estudiante A

Pregúntale a tu compañero(a) qué máquinas se han descompuesto y a quién(es). Después, contesta las preguntas de tu compañero(a) sobre qué aparatos se han caído y a quién(es).

La secretaria

El vecino

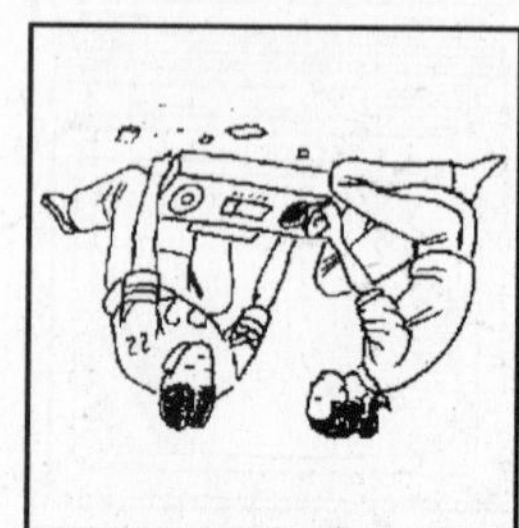
Nosotros

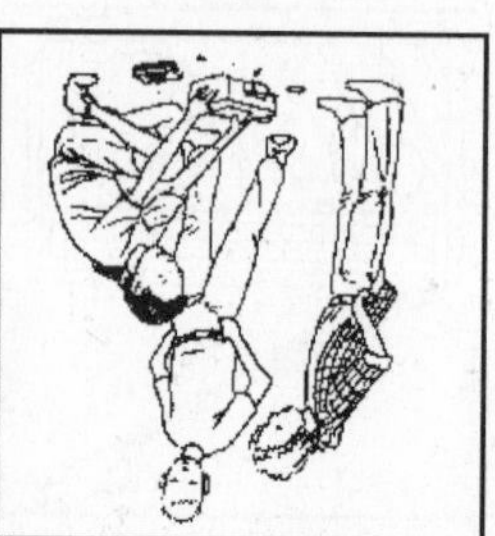
Los chicos

¿A quién se le ha descompuesto la máquina?

____

____

____

____

Estudiante B

Contesta las preguntas de tu compañero(a) sobre qué máquinas se han descompuesto y a quién(es). Después, pregúntale a tu compañero(a) qué aparatos se han caído y a quién(es).

A mí

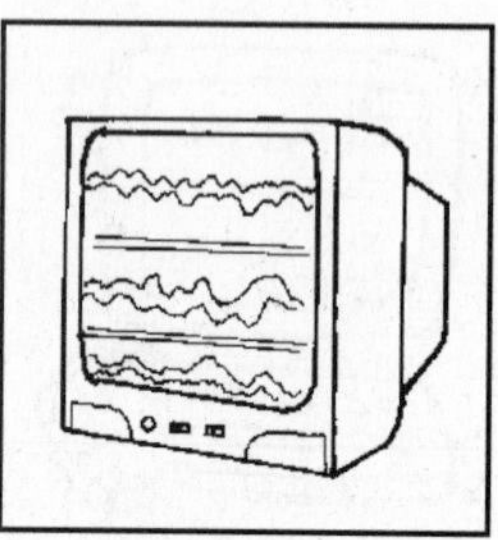
A Paco

A Teresa

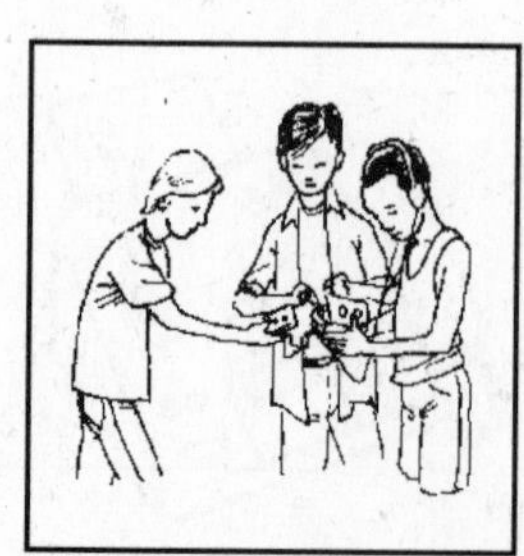
A mis hermanitos

¿A quién se le ha caído la máquina?

____

____

____

____

Nombre ______________________ Clase ______________ Fecha ______________

LA COMUNICACIÓN MODERNA

Interview a family member and ask him or her to choose which of the following modern tools of communication he or she uses frequently.

- First explain what the assignment is.
- Then ask him or her the question below.
  ¿Cuáles de estas cosas usas con frecuencia?
- Don't forget to model the pronunciation of the tools of communication so that he or she feels comfortable saying them in Spanish. Point to the name of each kind of communication tool as you say the words.
- After you get the answer, complete the sentence at the bottom of the page.

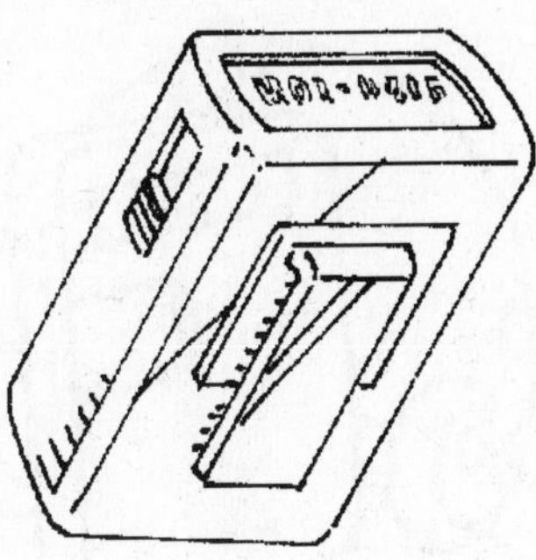

un beeper

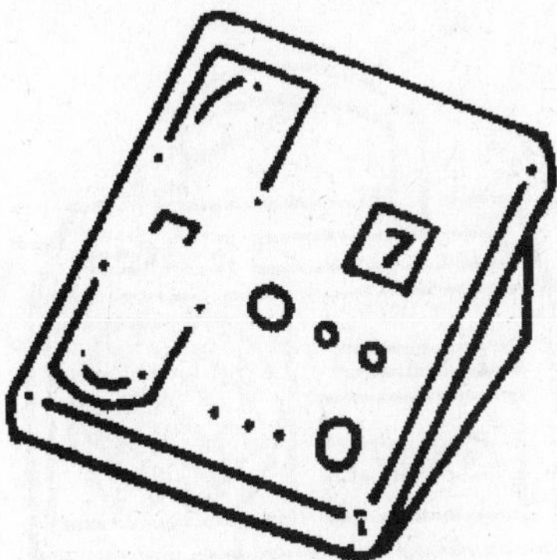

una contestadora automática

un fax

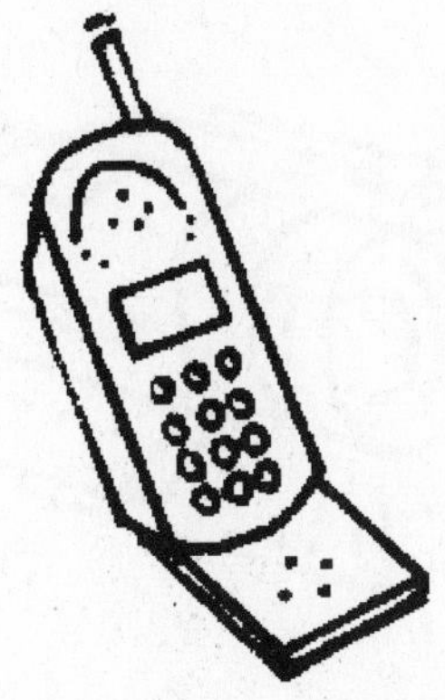

un teléfono celular

Uso ____.

PARA LLEVAR EN LAS VACACIONES

Interview a family member and ask him or her to say which of these things he or she would most like to take on a vacation.

- First explain what the assignment is.
- Then ask him or her the question below.
  ¿Qué quieres llevar contigo a tus vacaciones?
- Don't forget to model the pronunciation of the various pieces of electronic equipment so that he or she feels comfortable saying them in Spanish. Point to the name of each piece of equipment as you say the words.
- After you get the answer, complete the sentence at the bottom of the page.

un radio portátil

un walkman con audífonos

una videocámara

un televisor portátil

Quiero llevar ______________________________.

En vivo, Pupil's Edition Level 3 pages 416–417
Disc 17 Track 1

¡Grandes rebajas!

2 Pones la radio a las diez de la mañana y escuchas el anuncio del almacén ElectroMundo. Si el anuncio ofrece un descuento para el producto, escribe sí y el porcentaje del descuento en la lista que hiciste en Actividad 1. Si el anuncio no ofrece un descuento para ese producto, escribe no junto a ese producto.

¡Es sábado! En ElectroMundo, hoy es el día de los súper-descuentos. Si usted está buscando productos electrónicos de calidad a precios accesibles, ¡venga hoy a ElectroMundo!

¿Necesita una computadora portátil? Para trabajar o escribir su correspondencia o navegar por Internet en cualquier sitio, las computadoras portátiles son esenciales. Tenemos una selección muy variada. Compre una hoy y recibirá un descuento de 25 por ciento del precio original.

¿Quién puede existir hoy sin un beeper? Comuníquese cuando quiera con su oficina, su familia, sus amigos. El hombre y la mujer de hoy dependen de su beeper. Cómprese uno hoy en ElectroMundo y le daremos un descuento de 10 por ciento del precio original.

¿Necesita tener el número de teléfono de sus amigos, familiares y colegas a la mano? ¡Puede hacerlo con un asistente electrónico! Si se compra uno hoy, recibirá un descuento de 15 por ciento del precio original.

¿No tiene teléfono celular? ¿Qué espera? Es el implemento más necesario de la vida moderna. Puede hacer llamadas desde el carro, la calle, el aeropuerto, de donde sea. Olvide las largas líneas en los teléfonos públicos, ya no tiene que buscar un teléfono desocupado. Hoy en ElectroMundo el teléfono celular es casi un regalo con un descuento de 30 por ciento del precio original. ¡Sí! ¡Me han escuchado bien! ¡Un descuento del 30 por ciento! No hay razón para no comprarlo hoy.

¡Nos vemos hoy sábado, día de los súper-descuentos en ElectroMundo!

En acción, Pupil's Edition Level 3 pages 423, 426
Disc 17 Track 2

Actividad 10 Alma

Alma salió con Juan anoche. Escucha su descripción de lo que pasó y decide si la palabra que le falta a las oraciones es pero o sino.

Alma: ¡Ay, Ana! ¡No lo vas a creer! Ayer me llamaron Julio y Juan. Los dos querían salir conmigo. Al principio pensé que preferiría salir con Julio. Después de pensarlo un rato, cambié de opinión y decidí salir con Juan. Cuando llegó Juan, eran las seis más o menos. Me preguntó si quería ir al cine o al restaurante. Como tenía hambre, le dije que mejor al restaurante. Fuimos a un restaurante muy elegante. ¡Ay, las calorías! En vez de pedir pescado, que me encanta, pedí carne. No sé por qué. Nos tocó un camarero medio tonto. Le pedí un café. ¡No creerás lo que me trajo! ¡Me trajo un refresco de muchas calorías! Y después, pedí un postre, pero ¡qué error! ¡Fue horrible! No me gustó para nada. Por fin llegó la cuenta y Juan decidió pagar en efectivo. No tenía su tarjeta de crédito. El servicio fue muy malo, pero ésa no fue la razón por la cual Juan no dejó propina. ¡No dejó propina porque no tenía lo suficiente! ¡Ay, qué lío! Juan se sintió muy mal así que cuando nos levantamos para salir, él le dio las gracias al camarero aunque había sido el peor camarero del mundo. Allí acaba la historia. ¿Sabes que? ¡Mejor hubiera salido con Julio!

Disc 17 Track 3

Actividad 13 Las excusas

Hubo una fiesta y todos explicaron luego porqué no pudieron ir. Escribe las excusas de cada persona.

modelo: Yo no pude ir a la fiesta porque se me descompuso el coche.

1. Yo no fui a la fiesta porque se me olvidó la fecha.
2. Yo nunca llegué a la fiesta porque se me perdió la dirección.
3. Yo llegué tarde porque se me descompuso el reloj.
4. Yo no fui a la fiesta porque se me olvidó que tenía otra cita.
5. Yo nunca llegué porque se me hizo tarde.

Más práctica pages 145–146
Disc 17 Track 4

Actividad 1 Equipos necesarios

Termina las oraciones de Mariana con el equipo electrónico que necesita.

Mariana:

1. Este verano voy a trabajar como periodista. Tendré que viajar por todo el estado haciendo investigaciones y escribiendo artículos. Para escribir mis artículos, necesitaré...
2. Durante una investigación habrá que entrevistar a muchísimas personas hasta que haya suficiente información para escribir un artículo. Para tener un resumen exacto de lo que dicen los entrevistados, usaré...
3. Será muy importante poder comunicarme con la oficina del periódico tan pronto como se me ocurra una idea para un artículo. Para recibir un permiso rápido, necesitaré...
4. No me gusta dar mi número de teléfono a mucha gente, pero si alguien quiere comunicarse conmigo, no será difícil. Sólo tiene que llamar a las oficinas del periódico para dejar...
5. Con tanto contacto con otras personas, me imagino que habrá momentos en que no querré hablar con nadie. Pero si es una llamada

importante, puedo decidir si debo contestar cuando veo quién es...

Disc 17 Track 5

Actividad 2 Mundo de los descuentos

Escucha el anuncio de Mundo de los descuentos. Luego escribe el nombre del producto y el precio que ofrecen debajo del dibujo que corresponde.

Anuncio: Escuchen bien porque hoy tenemos unos descuentos fabulosos. ¡No lo van a creer! Si usted necesita un teléfono inalámbrico, cómpreselo hoy. Está a sólo 16.000 bolívares, les repito sólo 16.000 bolívares por un teléfono inalámbrico. ¿Tiene un equipo estereofónico viejo? Compre uno modernísimo hoy en Mundo de los descuentos y sólo pagará 85.000 bolívares! Sí, es verdad, sólo 85.000 bolívares. Los altoparlantes se los ofrecemos al precio bajísimo de 80.000 bolívares. Sí, ha escuchado bien, sólo 80.000 bolívares, pero recuerde que le ofrecemos ese precio sólo hoy en el Mundo de los descuentos. ¿Tienen una boda, una fiesta o una graduación que quieran grabar? Una videocámara en Mundo de los descuentos hoy le costará 250.000 bolívares. Increíble, ¿no? sólo 250.000 bolívares para poder grabar sus momentos más importantes. ¿Viaja mucho? ¿No quiere tener a mano un televisor portátil? Si es así, no va a encontrar un mejor precio en todo Venezuela: sólo 50.000 bolívares por un televisor que usted puede llevar a donde quiera. Y por fin el radio portátil también está de rebaja al mínimo precio de 13.500 bolívares. Sólo 13.500 bolívares por un radio portátil de mucha durabilidad. ¡Venga hoy a Mundo de los descuentos y verá que feliz se irá!

Disc 17 Track 6

Actividad 3 ¿Debes comprarlo o no?

Escucha lo que dicen estos dependientes de varios productos electrónicos. Luego, marca si son buenos productos que debes comprar o no.

1. Fíjese en la calidad de las copias que produce este fax multifuncional. Increíble, ¿no? Es la mejor marca que tenemos. Su calidad está respaldada por una garantía de tres años.
2. Este Walkman™ está en oferta. Llegó a la tienda roto, pero ahora está funcionando perfectamente. Por supuesto, usted tendrá que comprar los audífonos y las pilas aparte, pero puedo darle un descuento. ¿Qué le parece?
3. Esta pequeña grabadora será perfecta para sus entrevistas. Si usted la trata con muchísimo cuidado, casi nunca se le va a descomponer. Pero si se le ocurre eso, sólo costará cien dólares para repararla.
4. Un beeper es lo que necesitas si quieres estar accesible siempre. No es caro como un teléfono celular. Y la durabilidad y confiabilidad de esta marca son excelentes.
5. Mmm... quieres escuchar música mientras que corres. Te recomiendo un radio portátil entonces. Su durabilidad es buena a menos que se le caiga. Es un poco caro y no tiene la confiabilidad de otros productos portátiles. Creo que sería un buen producto para ti.

Disc 17 Track 7

Actividad 4 CompuVisión

Una clienta entra a CompuVisión a comprar un producto electrónico. Escucha la conversación entre el empleado y la clienta. Luego, contesta las preguntas siguientes con oraciones completas.

Empleado: Bienvenida a CompuVisión. ¿En qué puedo servirle?
Cliente: Pues vine aquí hoy porque mi computadora está descompuesta.
Empleado: Ha venido al sitio perfecto. Aquí en CompuVisión vendemos las marcas más conocidas de todo el mercado.
Cliente: Lo sé. Lo que no sé es que si quiero comprar una computadora para mi oficina o una portátil.
Empleado: Puedo decirle que las computadoras portátiles son de alta calidad y ofrecen muchas ventajas.
Cliente: Pero no esoty segura.
Empleado: Usted se convencerá después de probar una. Aquí está la que le recomiendo.
Empleado: Usted tiene mucha suerte porque hoy le puedo ofrecer un descuento de 25% en este modelo.
Cliente: ¿De veras?
Empleado: Sí, señorita, es un precio inigualable, créamelo.
Cliente: ¿Viene con garantía?
Empleado: ¡Claro que sí! Todos los modelos, incluso éste, vienen con una garantía de un año.

Para hispanohablantes page 145

Disc 17 Track 8

Actividad 1 Una conversación actual

Escucha la conversación telefónica entre Óscar y Vicente y después imagina cómo se harían las cosas cuando no había los equipos electrónicos actuales. Escribe tus impresiones de los negocios ahora y antes.

Óscar: Hola, Vicente, ¿cómo te va?
Vicente: Ocupadísimo, si te digo que no tengo a veces tiempo ni para comerme un emparedado, no te miento.
Óscar: Bueno, a mí me pasa por el estilo, pero ya sabes, son cuestiones del negocio. Mira Vicente, te llamo porque las exportaciones de mi firma tienen una demanda tremenda. Ya hemos abierto negocio en los países del Cono Sur, además de los que ya contábamos como clientes en varios países sudamericanos. En México nuestro negocio va a todo dar y ahora vamos a abrir mercado en Centroamérica. Por eso te llamo.
Vicente: Oye, que bien, ésas son noticias excelentes. ¿Qué podemos hacer ?
Óscar: Ya sé que tienes muy buenas relaciones en Centroamérica y necesito que me hables

sobre esa región. Tenemos que entrenar a nuestros vendedores y tú eres la persona ideal.

Vicente: Encantado de servirte como consultor. Déjame tomar la información que necesito para que mi secretaria programe todo. Dame tus números de teléfono, fax, en fin todo lo necesario para comunicarme contigo.

Óscar: Bueno, mi teléfono particular ya lo tienes, pero el de la oficina es el (333) 456-1234, mi extensión es la 0102. Puedes marcarla en cuanto salga el disco. Mi celular es el (444) 678-4567. Si necesitas mandarme un fax, oye a cualquier hora, el de casa es el (555) 901-8901 y el de la oficina, el general es el (333) 456-4321 y el mío personal es el (333) 456-2314. Mi correo electrónico es oscar@sudmex.net. Si necesitas mandarme algo a casa, el correo electrónico particular es osnan@easy.com. Nuestra compañía está en el Internet y puedes buscar en nuestro website la información que necesites. Te comunicas con http://www.hispanomarket.co.

Vicente: Perfecto, ya con estos datos me comunico contigo y acordamos una entrevista para puntualizar mis servicios. Gracias por darme la oportunidad de servirles.

Óscar: Gracias a ti. Espero tu llamada.

Disc 17 Track 9

Actividad 2 Un mundo acelerado

Escucha la conversación telefónica otra vez. Anota todos los números de teléfono que le dio Óscar a Vicente y las direcciones del correo electrónico.

Disc 17 Track 10

Actividad 3 Preferencias

Piensa en cómo tus abuelos conducían sus negocios y cómo los harías tú hoy en día. Escribe las diferencias.

Etapa Exam Forms A & B pages 74 and 79

Disc 20 Track 16

A Álvaro Ureña habla de los aparatos electrónicos. Escucha lo que dice y después indica cuál de las posibilidades completa mejor estas oraciones. **Strategy: Remember to listen carefully as you think about the vocabulary you have learned to talk about hi-tech equipment. Read through the questions before listening so that you will know what to listen for.**

Examen para hispanohablantes page 84

Disc 20 Track 16

A Álvaro Ureña habla de los aparatos electrónicos. Escucha lo que dice y después indica cuál de las posibilidades completa mejor estas oraciones. **Strategy: Remember to listen carefully as you think about the vocabulary you have learned to talk about hi-tech equipment. Read through the questions before listening so that you will know what to listen for.**

Alvaro Ureña: Me llamo Álvaro Ureña. Vivo en Caracas con mis padres y mis tres hermanos. Hace dos meses que me gradué de la universidad. Mientras solicito empleo de programador de computadoras trabajo en una tienda de aparatos electrónicos. Me gusta trabajar en Teleteca porque aprendo mucho de la tecnología y como empleado recibo unos descuentos fabulosos. Es un buen comercio porque dan garantías de un año o más para todos sus aparatos y tienen tiendas por todo el país. Cuando le mandé un regalo a mi prima Lucía en Maracaibo, ella pudo ir a la tienda allí cuando se le descompuso el Walkman.

En Teleteca puedo conseguir rebajas para mis familiares y amigos. Cuando mi hermano Julián se fue a Estados Unidos para sacar su doctorado en química, compró portátil. Mis primos le compraron un televisor portátil a mi hermana Sofía y mi cuñado Mario como regalo de boda. Para el día de la Madre le compré a mamá una videocámara porque le gusta filmar a toda la familia. Para el día del Padre le compré a papá un beeper. Quizás para Navidad les compre un equipo estereofónico a mis hermanos y para mis papás hay un lindo modelo de fax multifuncional que tiene impresora y fotocopiadora. Mis papás son arquitectos y tienen una oficina en casa además de la que tienen en el centro.

Nombre ____________________ Clase ____________ Fecha ____________

COOPERATIVE QUIZZES

Unidad 6 Etapa 2

Cooperative Quizzes

QUIZ 1 Conjunctions

Completa las oraciones con la forma correcta del verbo entre paréntesis.

1. —No sé si dan garantía cuando compras aparatos rebajados.

   —Aunque no ______________ (dar), vale la pena comprar ahora.

2. Dejo la computadora encendida en caso de que usted ______________ (querer) leer su correo electrónico.

3. Vamos a aquel almacén para que tú ______________ (escoger) una marca conocida.

4. Los niños siempre encienden el televisor sin que nosotros ______________ (darse cuenta).

5. Esperé hasta que me ______________ (atender) el vendedor.

QUIZ 2 Prepositions and Adverbs of Location

Forma una oración con las siguientes palabras.

1. la/perro/de/no/el/dentro/casa/duerme

   ____

2. del/las/puse/libro/cartas/debajo

   ____

3. casa/Sergio/al/de/vive/lado/mi

   ____

4. hay/detrás/jardín/casa/un/nuestra/de

   ____

5. encima/discos/la/los/computadora/dejé/de

   ____

Nombre ______ Clase ______ Fecha ______

QUIZ 3 *Pero* vs. *sino*

Completa estas oraciones con la forma **pero, sino,** o **sino que,** según el caso.

1. Lo mejor para ti no es el teléfono portátil, ______ el celular.
2. Manolín me pidió que le comprara más videojuegos, ______ yo no quise.
3. Se compraron no sólo un fax multifuncional, ______ también una computadora portátil.
4. No se quedó mucho tiempo en el almacén, ______ se fue sin comprar nada.
5. No escogí mi videocámara por el precio ______ por la marca.

QUIZ 4 *Se* for Unplanned Occurrences

Contesta con la forma correcta del verbo entre paréntesis para explicar lo que pasó con las cosas de esta gente. Usa el pretérito.

1. Ustedes no tienen jugo. (acabar)

______

2. Tu computadora no funciona. (descomponer)

______

3. José y Luisa no vinieron a la fiesta. (olvidar)

______

4. Tú y yo no trajimos las revistas. (quedar en casa)

______

5. Miguel tiene las gafas rotas. (caer)

______

Unidad 6 Etapa 2 Cooperative Quizzes

Nombre ______________________ Clase ______________ Fecha ______________

Test-taking Strategy: Remember to use graphic organizers. Draw a graphic to help you organize your thinking before answering the questions.

ESCUCHAR

Tape 20 • SIDE B
CD 20 • TRACK 16

Unidad 6 Etapa 2

Exam Form A

A. Álvaro Ureña habla sobre los aparatos electrónicos. Escucha lo que dice y después indica cuál de las posibilidades completa mejor estas oraciones.
Strategy: Remember to listen carefully as you think about the vocabulary you have learned to talk about hi-tech equipment. Read through the questions before listening so that you will know what to listen for. (10 puntos)

1. Álvaro Ureña ______.

a. va a graduarse en dos meses

b. trabaja a tiempo parcial

c. vive en Maracaibo, Venezuela

d. vende aparatos electrónicos

2. A Álvaro le gusta trabajar para la tienda ______.

a. aunque como dependiente no recibe descuentos

b. porque Teleteca se encuentra por toda Venezuela

c. aunque Teleteca no vende las marcas más famosas

d. porque aprende mucho sobre la tecnología

3. Álvaro le regaló ______.

a. un Walkman a Sofía

b. una computadora portátil a Julián

c. un beeper a Mario

d. una videocámara a Lucía

4. Los padres de Álvaro ______.

a. le prestarán dinero a su hijo

b. necesitan otro fax porque tienen dos oficinas

c. son profesores de química

d. no necesitan ni impresora ni fotocopiadora

5. A Álvaro se le acaba el dinero porque ______.

a. compra muchos de los aparatos que se venden en Teleteca

b. paga la matrícula de su maestría

c. como programador no gana mucho dinero

d. el equipo estereofónico le costó una fortuna

LECTURA Y CULTURA

Lee lo que dice Carmen Rivas de los sucesos inesperados. **Strategy: Remember what you have learned about describing unplanned events as you read the passage.** (10 puntos)

Me llamo Carmen Rivas, tengo diecisiete años y vivo con mis padres y mi hermana menor en Caracas. Me encantan las fiestas y la semana pasada decidí que quería hacer una fiesta en mi casa el sábado. Invité a mis amigos y todos aceptaron mi invitación. Mi hermana Magali me ayudó a preparar la comida y decorar la sala. Mamá compró flores y papá compró refrescos.

Llegó el sábado y todo estaba listo para las seis de la tarde. Mis amigos iban a llegar a las ocho. Me vestí y bajé a la sala a esperarlos. Escogía unos discos compactos cuando sonó el teléfono. «Hola chica, habla Emilia», dijo mi mejor amiga. «Lo siento pero no puedo ir a tu casa. Se me olvidó que tenía que ir a casa de mis abuelos esta noche». Me sentí desilusionada pero le dije que comprendía. Tan pronto como colgué el teléfono sonó otra vez. Esta vez llamó Esteban. Se le había descompuesto el coche y no podía venir a mi fiesta. Y como si fuera poco, después llamó Marta para decirme que no venía a mi casa porque había dejado la cartera en casa de unos amigos y tenía que ir a buscarla. Más tarde llamó Hernando para decirme que se le había acabado la gasolina y su coche no andaba. Él tampoco podía venir.

Ya eran las diez y nadie venía. Me sentía triste pero le dije a Magali que fuéramos al cine. Salíamos de la casa cuando oímos unos gritos: «¡Sorpresa!». Me sorprendí al ver a Emilia, Esteban, Marta, Hernando y otros amigos allí. No comprendía nada hasta que Emilia dijo: «Carmen, tú eres una amiga tan buena que queríamos hacerte una fiesta aun más especial, una fiesta realmente de sorpresa». Hablamos y bailamos hasta muy tarde. ¡Qué fiesta más divertida!

B. ¿Comprendiste? Lee las siguientes oraciones y marca con un círculo alrededor de la **C** si la oración es cierta o la **F** si es falsa. (10 puntos)

C F **1.** Carmen y Magali Rivas hicieron la comida para la fiesta.

C F **2.** La fiesta iba a empezar a las seis de la tarde.

C F **3.** Se le había descompuesto el coche a Emilia.

C F **4.** Carmen invitó a su hermana al cine.

C F **5.** Los amigos de Carmen querían darle una sorpresa.

C. ¿Qué piensas? Contesta las siguientes preguntas. (10 puntos)

1. ¿Crees que los amigos de Carmen debián hacerle una fiesta sorpresa? ¿Por qué (no)?

____

____

Nombre ______________________ Clase ______________ Fecha ______________

VOCABULARIO Y GRAMÁTICA

D. Mira las ilustraciones y completa las oraciones. **Strategy: Remember the vocabulary you learned to talk about technology.** (10 puntos)

Maribel

Tina

Alex

Laura

Mónica

1. Maribel usa ______________ en el coche.
2. Tina está dejando un mensaje en ______________.
3. Alex siempre usa su ______________ en los viajes de negocios.
4. A Laura le gusta usar su ______________.
5. Mónica está molesta porque su ______________ no funcionan.

E. Escribe oraciones que expresen sucesos inesperados. Usa la construcción con *se* y el **complemento indirecto** y el verbo en pretérito. (10 puntos)

1. a ti / perderse / las pilas

____

2. a nosotros / olvidarse / ver el programa

____

3. a ustedes / descomponerse / el coche

____

4. a mí / acabarse / el pan

____

5. a Norma / caerse / los vasos

____

Unidad 6 Etapa 2

Exam Form A

F. Completa las oraciones con **pero** o **sino.** (10 puntos)

1. Íbamos a salir _______________ decidimos quedarnos en casa.
2. No compraron el televisor por la garantía _______________ por el descuento.
3. Pedí arroz _______________ me dieron papas.
4. No sólo envían cartas por correo electrónico _______________ que también las mandan por fax multifuncional.
5. No visitamos a Consuelo _______________ la llamamos.

G. Escribe oraciones usando conjunciones y el indicativo o el subjuntivo. (10 puntos)

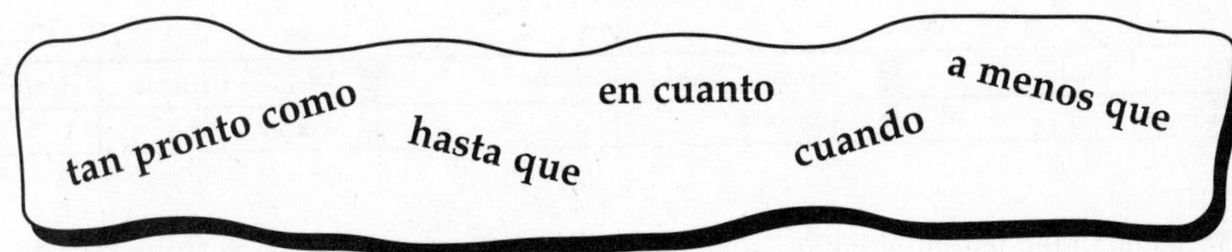

1. compraré / grabadora / tener dinero

____

2. devolverán / beeper / funcionar bien

____

3. mirabas / documental / descomponerse el televisor

____

4. oyeron / telemensaje / llegar a casa

____

5. no encontrarás / teléfono celular / limpiar tu cuarto

____

Nombre ______________________ Clase __________ Fecha __________

Unidad 6 Etapa 2

Exam Form A

ESCRITURA

H. Escribe un párrafo en una hoja aparte, describiendo los aparatos electrónicos que tú y tu familia tienen. **Strategy: Remember to use the table below to help you organize the vocabulary you learned for hi-tech equipment.** (15 puntos)

Aparato electrónico	Marca	Cómo funciona

Writing Criteria	Scale
Vocabulary Usage	1 2 3 4 5

Writing Criteria	Scale
Accuracy	1 2 3 4 5

Writing Criteria	Scale
Organization	1 2 3 4 5

HABLAR

I. Contesta las preguntas sobre unos sucesos inesperados y a quiénes, cuándo y cómo les pasaron estas cosas. Usa las palabras como ayuda. **Strategy: Remember to think about the unplanned events you and other people have experienced.** (15 puntos)

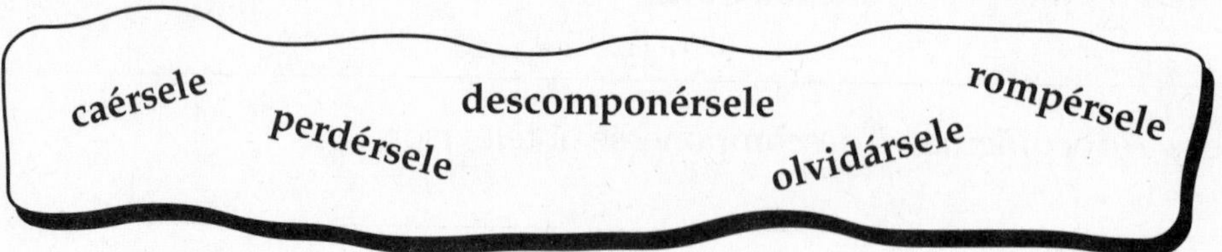

1. ¿Qué les pasó a los libros, papeles, platos?
2. ¿Tarjetas de crédito, paraguas?
3. ¿Coche, televisor portátil?
4. ¿Fecha, cumpleaños, llaves?
5. ¿Tazas, vasos, huevos?

Speaking Criteria	Scale
Vocabulary Usage	1 2 3 4 5

Speaking Criteria	Scale
Accuracy	1 2 3 4 5

Speaking Criteria	Scale
Organization	1 2 3 4 5

Test-taking Strategy: Remember to use graphic organizers. Draw a graphic to help you organize your thinking before answering the questions.

ESCUCHAR

Tape 20 • SIDE B
CD 20 • TRACK 16

A. Álvaro Ureña habla de los aparatos electrónicos. Escucha lo que dice y después indica cuál de las posibilidades completa mejor estas oraciones. **Strategy: Listen carefully as you think about the vocabulary you have learned to talk about hi-tech equipment. Read through the questions before listening so that you will know what to listen for.** (10 puntos)

1. Álvaro Ureña ______.

a. trabaja a tiempo parcial

b. vende aparatos electrónicos

c. va a graduarse en dos meses

d. vive en Maracaibo, Venezuela

2. A Álvaro le gusta trabajar para la tienda ______.

a. aunque Teleteca no vende las marcas más famosas

b. porque aprende mucho sobre la tecnología

c. aunque como dependiente no recibe descuentos

d. porque Teleteca se encuentra por toda Venezuela

3. Álvaro le regaló ______.

a. una computadora portátil a Julián

b. una videocámara a Lucía

c. un Walkman a Sofía

d. un beeper a Mario

4. Los padres de Álvaro ______.

a. no necesitan ni impresora ni fotocopiadora

b. le prestarán dinero a su hijo

c. son profesores de química

d. necesitan otro fax porque tienen dos oficinas

5. A Álvaro se le acaba el dinero porque ______.

a. paga la matrícula de su maestría

b. el equipo estereofónico le costó una fortuna

c. compra muchos de los aparatos que se venden en Teleteca

d. como programador no se gana la vida

LECTURA Y CULTURA

Lee lo que dice Rosa Carvajal de los sucesos inesperados. **Strategy: Remember what you have learned about describing unplanned events as you read the passage.** (10 puntos)

Me llamo Rosa Carvajal, tengo diecisiete años y vivo con mis padres y mi hermana menor en Caracas. Me encantan las fiestas y la semana pasada decidí que quería hacer una fiesta en mi casa el sábado. Invité a mis amigos y todos aceptaron. Mi hermana Lola me ayudó a preparar la comida y decorar la sala. Mamá compró flores y papá compró refrescos.

Todo estaba listo para las seis de la tarde. Mis amigos iban a llegar a las ocho. Me vestí y bajé a la sala a esperarlos. Escogía unos discos compactos cuando sonó el teléfono. «Hola chica, habla Matilde», dijo mi mejor amiga. «Lo siento pero no puedo ir a tu casa. Se me olvidó que tenía que ir a casa de mis abuelos esta noche». Me sentí desilusionada pero le dije que comprendía su situación. Tan pronto como colgué el teléfono sonó otra vez. Esta vez llamó Esteban que me dijo que se le había descompuesto el coche y que no podía venir a mi fiesta. Y como si fuera poco, después llamó Marta para decirme que no venía a mi casa porque había dejado la cartera en casa de unos amigos y tenía que ir a buscarla. Más tarde llamó Hernando para decirme que se le había acabado la gasolina y su coche no funcionaba. Él tampoco podía venir.

Me sentía triste porque ya eran las diez y no venía nadie. Le dije a Lola que fuéramos al cine. Salíamos de la casa cuando oímos unos gritos: «¡Sorpresa!» Me sorprendí al ver a Matilde, Esteban, Marta, Hernando y otros amigos allí. No comprendía nada hasta que Matilde dijo: «Carmen, tú eres una amiga tan buena que queríamos hacerte una fiesta aun más especial, una fiesta realmente de sorpresa». Hablamos y bailamos hasta muy tarde. ¡Qué fiesta más divertida!

B. **¿Comprendiste?** Lee las siguientes oraciones y marca con un círculo alrededor de la **C** si la oración es cierta o la **F** si es falsa. (10 puntos)

C F **1.** Rosa y Lola Carvajal hicieron la comida para la fiesta.

C F **2.** La fiesta iba a empezar a las seis de la tarde.

C F **3.** Se le había descompuesto el coche a Matilde.

C F **4.** Rosa invitó a su hermana al cine.

C F **5.** Los amigos de Rosa querían darle una sorpresa.

C. **¿Qué piensas?** Contesta las siguientes preguntas. (10 puntos)

1. ¿Crees que los amigos de Rosa debían hacerle una fiesta sorpresa? ¿Por qué (no)?

______

______

VOCABULARIO Y GRAMÁTICA

D. Mira las ilustraciones y completa las oraciones. **Strategy: Remember the vocabulary you learned to talk about technology.** (10 puntos)

Maité

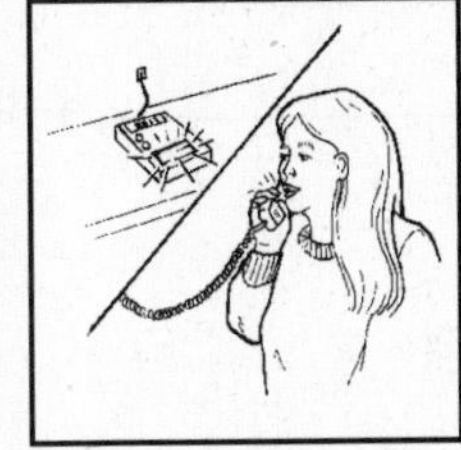
Alina

Toño

Laura

Rochelle

1. Rochelle está molesta porque su ______________ no funcionan.
2. A Laura le gusta usar su ______________.
3. Toño siempre usa su ______________ en los viajes de negocios.
4. Alina está dejando un mensaje en ______________.
5. Maité usa ______________ en el coche.

E. Escribe oraciones que expresen sucesos inesperados. Usa la construcción con **se** y el **complemento indirecto** y el verbo en pretérito. (10 puntos)

1. a usted / romperse / el plato

   ____

2. a Lorenzo y a ti / quedarse / las tarjetas de crédito

   ____

3. a Paula y a mí / descomponer / el televisor y el radio portátil

   ____

4. ¿cuándo? / a ti / ocurrirse / esas cosas

   ____

5. a mí / olvidarse / las pilas

   ____

F. Completa las oraciones con **pero** o **sino.** (10 puntos)

1. No visitamos a Consuelo ______________ la llamamos.
2. Necesitamos unos altoparlantes ______________ no tenemos el dinero.
3. Los señores Villa no harán el viaje en avión ______________ en tren.
4. No sólo envían cartas por correo electrónico ______________ que también las mandan por fax multifuncional
5. Pedí arroz ______________ me dieron papas.

G. Escribe oraciones usando conjunciones y el indicativo o el subjuntivo. (10 puntos)

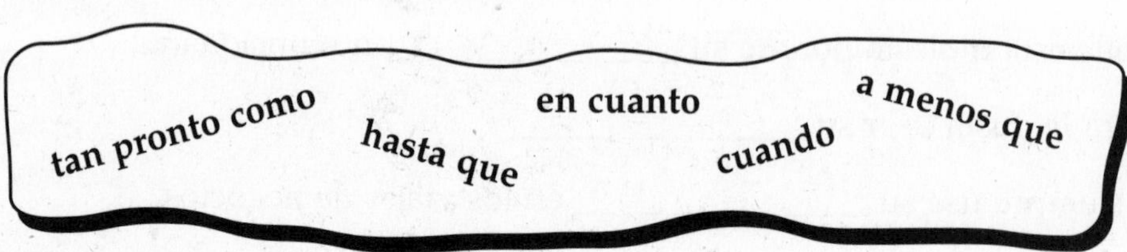

1. no encontrarás / teléfono celular / limpiar tu cuarto

   ____

2. oyeron / telemensaje / llegar a casa

   ____

3. compraré / grabadora / tener dinero

   ____

4. devolverán / beeper / funcionar bien

   ____

5. mirabas / documental / descomponerse el televisor

   ____

Nombre ______________________ Clase ______________ Fecha ______________

ESCRITURA

H. Escribe un párrafo en una hoja aparte, describiendo los aparatos electrónicos que tú y tu familia tienen. **Strategy: Remember to use the table below to help you organize the vocabulary you learned for hi-tech equipment.** (15 puntos)

Aparato electrónico	Marca	Cómo funciona

Writing Criteria	Scale	Writing Criteria	Scale	Writing Criteria	Scale
Vocabulary Usage	1 2 3 4 5	Accuracy	1 2 3 4 5	Organization	1 2 3 4 5

HABLAR

I. Contesta las preguntas sobre unos sucesos inesperados y a quiénes, cuándo y cómo les pasaron estas cosas. Usa las palabras como ayuda. **Strategy: Remember to think about the unplanned events you and other people have experienced.** (15 puntos)

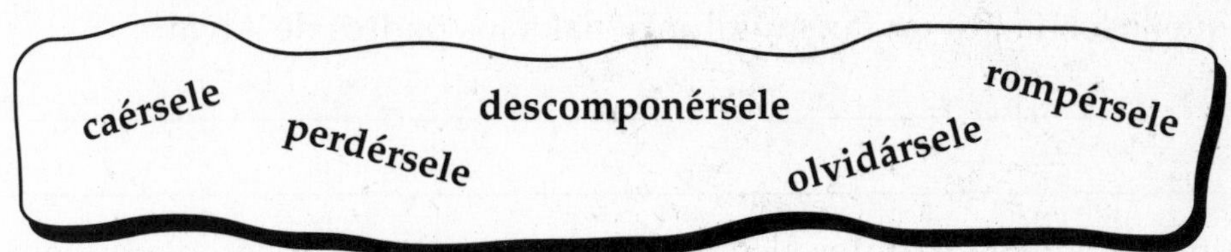

1. ¿Qué les pasó a libros, papeles, platos?
2. ¿Tarjetas de crédito, paraguas?
3. ¿Coche, televisor portátil?
4. ¿Fecha, cumpleaños, llaves?
5. ¿Tazas, vasos, huevos?

Speaking Criteria	Scale	Speaking Criteria	Scale	Speaking Criteria	Scale
Vocabulary Usage	1 2 3 4 5	Accuracy	1 2 3 4 5	Organization	1 2 3 4 5

Test-taking Strategy: Remember to use graphic organizers. Draw a graphic to help you organize your thinking before answering the questions.

ESCUCHAR

Tape 20 • SIDE B
CD 20 • TRACK 16

A. Álvaro Ureña habla de los aparatos electrónicos. Escucha lo que dice y después contesta las preguntas que siguen. **Strategy: Remember to listen carefully as you think about the vocabulary you have learned to talk about hi-tech equipment. Read through the questions before listening so that you will know what to listen for.** (10 puntos)

1. ¿Cómo se gana la vida Álvaro Ureña mientras busca empleo de programador?

____

____

2. ¿Qué ventajas le ofrece su trabajo a Álvaro?

____

____

3. ¿Qué le regaló Álvaro a su mamá para el día de la madre?

____

____

4. ¿Por qué les sería útil un fax multifuncional a los padres de Álvaro?

____

____

5. Haz una lista de los aparatos electrónicos que puedan usar como arquitectos los papás de Álvaro.

____

____

Nombre ____________ Clase ____________ Fecha ____________

LECTURA Y CULTURA

Lee lo que dice Selena Márquez de las cosas inesperadas que marcaron el día de su cumpleaños. **Strategy: Remember what you have learned about describing unplanned events as you read the passage.** (10 puntos)

Me llamo Selena Márquez, tengo diecisiete años y vivo con mis padres y mi hermano menor en Caracas. El viernes pasado era mi cumpleaños. Quería organizar una fiesta en mi casa e invitar a todos mis amigos, pero resultó que todo el mundo estaba ocupado y nadie podía venir. Me pareció un poco raro que todos tuvieran cosas que hacer, pero, ¿qué podía hacer? «No te preocupes», dijo mamá. «Celebraremos tu cumpleaños aquí en casa los cuatro». Volvía a casa cuando me di cuenta que casi no había gasolina en el carro. Es raro que se me haya acabado la gasolina, pensé. Me parece que llené el tanque hace dos días. Bueno, ¿qué se podía hacer? Afortunadamente estaba cerca de la gasolinera donde siempre vamos.

Allí el mecánico José Luis, que es amigo de la familia, me dice: «Señorita, se le ha descompuesto algo en el motor. Si quiere, se lo puedo arreglar ahora, pero tendrá que esperar unos veinte minutos». Llamé a casa para decirles lo que había pasado. «No te preocupes, hija», dijo mamá. «¡No vamos a celebrar tu cumpleaños sin ti! Ah, y antes de que se me olvide, se me han roto dos vasos hoy. ¿Podrías pasar por el almacén antes de volver y comprar un juego de vasos?» «De acuerdo, mamá», dije, aunque me parecía raro que me pidiera eso el día de mi cumpleaños.

El mecánico terminó de reparar el carro, fui al almacén a comprar los vasos, y volví a casa. Cuando abrí la puerta oí unos gritos: «¡Sorpresa!» Me sorprendí al ver a todos mis amigos allí. Me di cuenta de que todos se habían puesto de acuerdo para hacerme la fiesta. ¡Qué simpáticos! ¡Qué fiesta!

B. ¿Comprendiste? Lee las siguientes oraciones y traza un círculo alrededor de la **C** si la oración es cierta o la **F** si es falsa. (10 puntos)

C F **1.** Selena fue a la gasolinera porque no le quedaba mucha gasolina en el carro.

C F **2.** El mecánico de la gasolinera le dijo que su carro estaba muy bien.

C F **3.** Su mamá le pidió que comprara vasos.

C F **4.** Cuando Selena volvió a casa, no había nadie.

C F **5.** Los amigos de Selena querián darle una sorpresa.

C. ¿Qué piensas? Contesta las siguientes preguntas. (10 puntos)

1. ¿Es bueno que los amigos de Selena le hayan hecho una fiesta sorpresa? ¿Por qué (no)?

____

____

Nombre ______________________ Clase ______________ Fecha ______________

VOCABULARIO Y GRAMÁTICA

D. Mira las ilustraciones y completa las oraciones. **Strategy: Remember the vocabulary you learned to talk about technology.** (10 puntos)

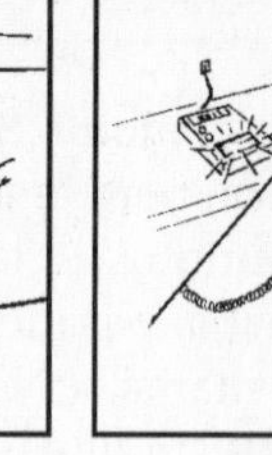

Marisol	Regina	Alejandro	Caterina	Michelle

1. Regina está dejando un mensaje en ________________.
2. Marisol usa ________________ en el coche.
3. Alejandro siempre usa su ________________ en los viajes de negocios.
4. Michelle está molesta porque ________________ no funcionan.
5. A Caterina le gusta usar su ________________.

E. Escoge un verbo de la lista para expresar estos sucesos inesperados. Usa el pretérito en todas las oraciones. (10 puntos)

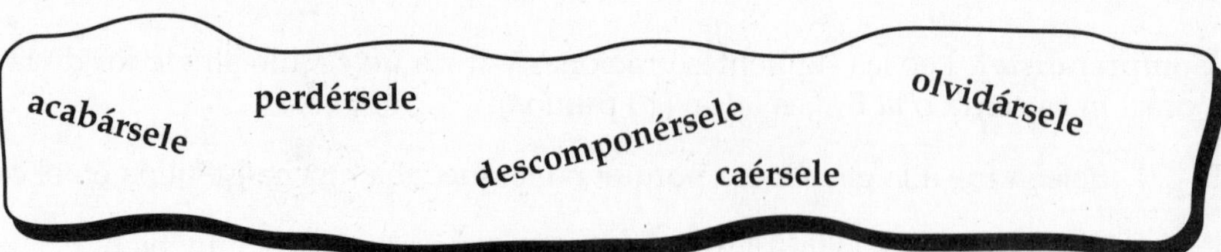

1. ¿No tienes las pilas? No me digas que ________________ otra vez.
2. No vimos el programa porque ________________ poner la tele.
3. ¿Por qué tuvieron ustedes que ir a ver al mecánico? ¿________________ el coche?
4. No me puedo hacer un sándwich. ________________ el pan.
5. ¿Qué es ese ruido? A Nora ________________ los vasos.

F. Forma una oración con cada par de oraciones. Une las oraciones con **pero, sino** o **sino que.** (10 puntos)

1. Íbamos a salir. Decidimos quedarnos en casa.

___

2. No me interesa la marca inglesa. Me interesa la norteamericana.

___

3. Realmente no me hace falta un fax. Sería muy conveniente.

___

4. Está descompuesta no sólo la contestadora automática. También está descompuesto el identificador de llamadas.

___

5. No compraron el televisor. Lo alquilaron.

___

G. Escribe oraciones usando conjunciones y el indicativo o el subjuntivo. (10 puntos)

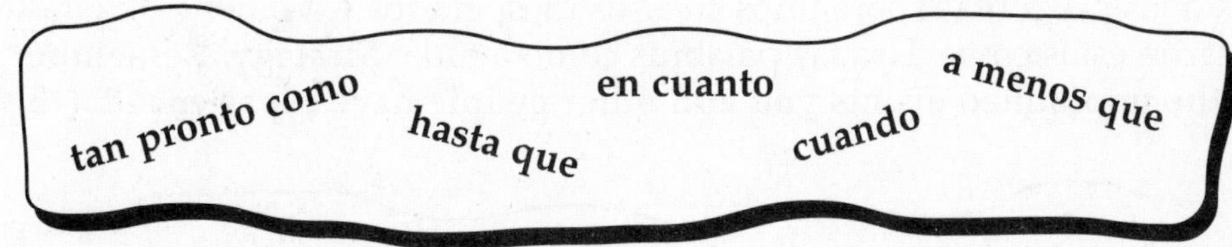

1. oyeron / telemensaje / llegar a casa

___

2. mirabas / documental / descomponerse el televisor

___

3. devolverán / beeper / funcionar bien

___

4. no encontrarás / teléfono celular / limpiar tu cuarto

___

5. compraré / grabadora / tener dinero

___

Nombre ______ Clase ______ Fecha ______

Unidad 6 Etapa 2

Examen para hispanohablantes

ESCRITURA

H. Escribe un párrafo en una hoja aparte, describiendo los aparatos electrónicos que tú y tu familia tienen. **Strategy: Remember to use the table below to help you organize the vocabulary you learned for hi-tech equipment.** (15 puntos)

Aparato electrónico	Marca	Cómo funciona

Writing Criteria	Scale	Writing Criteria	Scale	Writing Criteria	Scale
Vocabulary Usage	1 2 3 4 5	Accuracy	1 2 3 4 5	Organization	1 2 3 4 5

HABLAR

I. Contesta las preguntas sobre unos sucesos inesperados y a quiénes, cuándo y cómo les pasaron estas cosas. Usa las palabras como ayuda. **Strategy: Remember to think about the unplanned events you and other people have experienced.** (15 puntos)

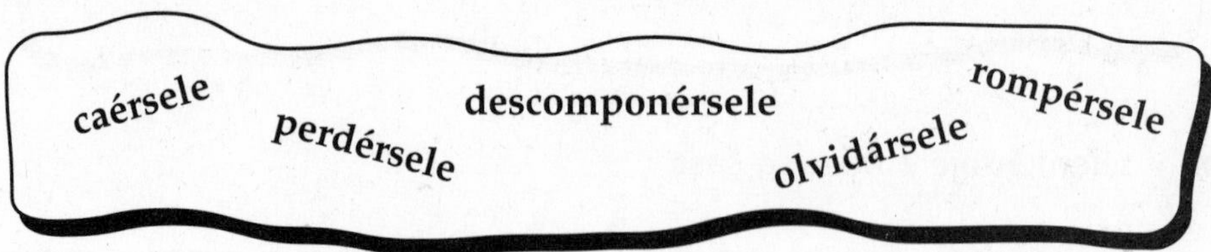

1. ¿Qué les pasó a los libros, papeles, platos?
2. ¿Tarjetas de crédito, paraguas?
3. ¿Coche, televisor portátil?
4. ¿Fecha, cumpleaños, llaves?
5. ¿Tazas, vasos, huevos?

Speaking Criteria	Scale	Speaking Criteria	Scale	Speaking Criteria	Scale
Vocabulary Usage	1 2 3 4 5	Accuracy	1 2 3 4 5	Organization	1 2 3 4 5

Nombre ______ Clase ______ Fecha ______

PORTFOLIO ASSESSMENT

El consumidor que sabe

Working with a partner or in groups of three or four, draw up a report about the price of electronic and high-tech products in your area. Specify the item, the brand, the price, the guarantee, and the service offered by the store. What are the highest and lowest prices on each item? What discounts are offered? The reports of the different groups can be published as a «Guía del consumidor: La electrónica».

Goal: A copy of your report to be placed in your portfolio.

Scoring:

Criteria/Scale 1–4	(1)	Poor	(2)	Fair	(3)	Good	(4)	Excellent
Vocabulary	1	Limited vocabulary use	2	Some attempt to use known vocabulary	3	Good use of vocabulary	4	Excellent use of vocabulary
Written accuracy	1	Written Spanish not easily understood	2	Good try, but many major mistakes	3	Well written, clear, comprehensible	4	Very well written
Research	1	Report shows little original research	2	Some evidence of original research shown	3	Report shows original research	4	Report shows excellent use of research skills
Effort	1	Work shows little effort	2	Some effort shown, but not enough to produce good results	3	Report shows good effort put forth	4	Excellent and successful effort made

A = 13–16 pts. B = 10–12 pts. C = 7–9 pts. D = 4–6 pts. F = < 4 pts.

Total Score: ______

Comments: ______

Unidad 6 Etapa 2 Portfolio Assessment

Nombre ____________________ Clase ____________ Fecha ____________

PORTFOLIO ASSESSMENT

ACTIVIDAD 2 Encuesta: ¿Ha llegado el futuro?

Working with a partner, develop a survey for your fellow students to find out what electronic and high tech products they have and what they would like to get most. Tabulate the results by sex and age, and see if you can discern any patterns. Present the results to the class.

Goal: A copy of your questions and a printout of your results to place in your portfolio.

Scoring:

Criteria/Scale 1–4	(1)	Poor	(2)	Fair	(3)	Good	(4)	Excellent
Quality of questions	1	Questions incomprehensible and/or not relevant	2	Some serious flaws in questions	3	Survey well thought out	4 4	Developed excellent survey
Vocabulary	1	Limited vocabulary use	2	Some attempt to use known vocabulary	3	Good use of vocabulary	4	Excellent use of vocabulary
Grammar accuracy	1	Efforts prevent comprehension	2	Some grammar errors throughout	3	Good use of grammar		Excellent use of grammar
Effort	1	Work shows little effort	2	Some effort shown, but not enough to produce good results	3	Survey shows good effort put forth	4	Excellent and successful effort made

A = 13–16 pts. B = 10–12 pts. C = 7–9 pts. D = 4–6 pts. F = < 4 pts.

Total Score: ____________________

Comments: ____________________

ESCUCHAR

Tape 18 • SIDE B
CD 18 • TRACKS 6–9

El software

Una señora habla con una amiga y le explica qué programas necesita. Escucha lo que dice y luego escribe el programa que describe en los espacios en blanco, escogiendo del banco de datos.

la base de datos — el programa anti-virus — el software
la hoja de cálculo — el juego interactivo

1. el software
2. la base de datos
3. el programa anti-virus
4. el juego interactivo
5. la hoja de cálculo

Una nueva computadora

Escucha la descripción que Claudia da a una amiga de su nueva computadora. Luego, marca los equipos que vinieron con la computadora.

X microprocesador
X memoria
___ tarjeta de gráfica
X altoparlantes
X micrófono Multimedia
___ tarjeta de sonido
X módem
X monitor
X teclado
___ impresora a color

Unas preguntas

Contesta las preguntas que tiene Ricardo sobre las computadoras y el ciberespacio.

1. Necesitas una contraseña.
2. Se llaman usuarios.
3. Puedes comunicarte por correo electrónico.
4. Puedes usar un servicio de búsqueda.
5. Puedes guardar información en el disco duro (interno) y el disco (externo).

Internet

Escucha la conversación que tiene Chela con su abuelo sobre el Internet. Luego, contesta las preguntas con oraciones completas.

1. ¿Qué quiere saber el abuelo de Chela?
   Quiere saber cómo conectarse a Internet.
2. Según Chela, ¿por qué es importante la tarjeta de sonido?
   Es importante para aprovechar el audio en las páginas-web.
3. Después de conectarse, ¿qué vieron Chela y su abuelo en el monitor?
   Vieron que había correo en el buzón electrónico.
4. ¿Qué quiere hacer el abuelo una vez que esté en línea?
   Quiere participar en un grupo de conversación.
5. Para Chela, ¿cuál es el uso más importante de Internet?
   Es usar un servicio de búsqueda para encontrar información en la red mundial.

Nombre ______________________ Clase ______________ Fecha ______________

VOCABULARIO

5 La clase de computación

Escuchas varias conversaciones en la clase de computación. Completa los comentarios de los estudiantes con las palabras lógicas de la lista.

a. buzón electrónico

b. desconéctate

c. direcciones electrónicas

d. en línea

e. grupo de conversación

f. hacer doble clic

g. icono del programa

1. «Para abrir el programa, tienes que hacer doble clic en el icono del programa».

2. «En mi asistente electrónico puse todas las direcciones electrónicas de mis amigos para tenerlas a mano cuando viaje».

3. «¡Qué bien! Tengo correo en mi buzón electrónico».

4. «Visité un grupo de conversación en la red que era para jóvenes interesados en el diseño gráfico».

5. «¿Estás en línea? Por favor, desconéctate porque necesito usar el teléfono».

6 Mi propia configuración

Imagina que quieres comprar un sistema de computación avanzado. Describe al empleado de CompuVisión lo que quieres y por qué lo quieres. Incluye todo el detalle que puedas. Answers will vary.

____

____

____

____

____

____

____

Unidad 6 Etapa 3

CUADERNO Más práctica

Nombre ______________________ Clase ______________ Fecha ______________

ACTIVIDAD 7 Mi vida en ciberespacio

¿Eres ciber-fanático? ¿Cómo es tu vida en el ciberespacio? Escribe una oración que describa tu uso personal de la computadora y tus viajes al ciberespacio.

1. dirección electrónica (¿cuál es? y ¿por qué?) Answers will vary.
2. contraseña (¿cuántas veces la cambias? y ¿por qué?) ______________
3. correo electrónico (¿a quién le escribes? ¿cuántas veces por semana? ¿cuánto recibes?) ______________
4. en línea (¿cuántas veces por día?) ______________
5. página-Web (¿cuáles páginas-Web visitas? y ¿por qué?) ______________

Unidad 6 Etapa 3

CUADERNO Más práctica

ACTIVIDAD 8 La ciber-fanática

Marisa le escribe un mensaje electrónico a un amigo por Internet. ¿Qué le dice? Completa su mensaje con las palabras del banco de palabras.

en línea	contraseña	grupos de conversación
me conecto	buzón electrónico	red mundial
correo electrónico	página-Web	servicio de búsqueda

¿Sabes que soy muy aficionada a Internet? Es verdad, me conecto en línea dos o tres veces por día. Escribo correo electrónico a todos mis amigos. Siempre que me conecto, tengo por lo menos seis o siete mensajes en el buzón electrónico. Nunca le digo mi contraseña a nadie porque mis hermanitos son muy curiosos. Estoy pensando que quiero crear una página-Web, así podría describir mi vida. He participado en varios grupos de conversación pero todavía no he conocido a nadie interesante. Con el servicio de búsqueda puedo encontrar cualquier información que necesite. La red mundial es un sistema de comunicación fascinante, ¿no crees?

GRAMÁTICA: REVIEW: COMPARATIVES AND SUPERLATIVES

9 Las comparaciones

Emilio compara varias cosas relacionadas a la computadora e Internet. Sigue el modelo para saber sus opiniones.

modelo: módem interno (+ práctico) módem externo
El módem interno es más práctico que el módem externo.

1. grupo de conversación sobre las computadoras (+ interesante) grupo de conversación sobre la literatura El grupo de conversación sobre las computadoras es más interesante que el grupo de conversación sobre la literatura.
2. página-Web de ElectroMundo (− informativa) página-Web de OficinaNet La página-Web de ElectroMundo es menos informativa que la página-Web de OficinaNet.
3. monitor a color (= grande) monitor a blanco y negro El monitor a color es tan grande como el monitor a blanco y negro.
4. tarjeta de sonido (= importante) tarjeta de gráfica La tarjeta de sonido es tan importante como la tarjeta de gráfica.

ACTIVIDAD 10 Consejos

La empleada de la tienda de computadoras te da varios consejos mientras examinas algunos productos electrónicos. Sigue el modelo para saber lo que ella te aconseja.

modelo: juegos interactivos (+ divertido)
De todos los juegos interactivos, éste es el más divertido.

1. tarjetas de gráfica (− práctica) De todas las tarjetas de gráfica, ésta es la menos práctica.
2. configuraciones posibles (−costosa) De todas las configuraciones posibles, ésta es la menos costosa.
3. programas anti-virus (+ seguro) De todos los programas anti-virus, éste es el más seguro.
4. tarjetas de sonido (+ popular) De todas las tarjetas de sonido, ésta es la más popular.

Nombre ______ Clase ______ Fecha ______

Las profesiones

Algunas personas se destacan en sus profesiones y otras no. Amalia describe a varias personas en su comunidad. ¿Cómo son? Usa los superlativos **el (la) mejor, el (la) peor, los (las) mejores,** o **los (las) peores** para saber qué piensa Lala de ellos. Sigue el modelo:

modelo: Brad es buen actor. (grupo teatral)
Brad es el mejor actor del grupo teatral.

1. Ricardo es buen atleta. (el equipo) Ricardo es el mejor atleta del equipo.
2. Sabrina es mala peluquera. (el salón de belleza) Sabrina es la peor peluquera del salón de belleza.
3. El señor Ortiz y el señor Barrera son buenos abogados. (el bufete) El señor Ortiz y el señor Barrera son los mejores abogados del bufete.
4. Juana y Sandra son malas actrices. (grupo teatral) Juana y Sandra son las peores actrices del grupo teatral.
5. La señora Velasco es buena arquitecta. (la ciudad) La señora Velasco es la mejor arquitecta de la ciudad.

Es lógico

Compara cosas de tu vida. Puedes comparar a amigos, objetos o cualquier otra cosa. Usa los comparativos o los superlativos de la lista. Answers will vary.

modelo: La computadora que compré yo es tan barata como la que compró mi hermano.

mejor/peor (estudiante, atleta, músico)
menos (importante, interesante, divertido)
más (importante, interesante, divertido)
tan

1. ______
2. ______
3. ______
4. ______

Unidad 6 Etapa 3
CUADERNO Más práctica

Nombre _______________ Clase _______________ Fecha _______________

GRAMÁTICA: SUMMARY OF PREPOSITIONS

13 La computadora de Julián

Beto describe lo que va a hacer esta tarde con sus amigos. Completa su descripción con las preposiciones **a, de, con** y **en.**

___En___ el colegio no podemos usar las computadoras para navegar por Internet, sólo para hacer la tarea. Por eso, mi amigo Hernán y yo vamos ___a___ casa ___de___ Julián a conectarnos ___a___ Internet. Vamos a buscar un grupo de conversación para jóvenes ___de___ nuestra edad. Los padres ___de___ Julián no regresan ___a___ casa hasta las cinco ___de___ la tarde. Por eso tenemos el uso ___de___ la computadora toda la tarde. Yo tengo una computadora ___en___ mi casa, pero nunca la puedo usar porque mi papá la necesita para el trabajo. ___Con___ el módem que tiene Julián, nos podemos conectar ___a___ Internet rápidamente. Tiene un módem ___de___ 56K. No debo quedarme toda la tarde. ___Con___ toda la tarea que tengo, ¡nunca la voy a acabar!

14 Café Ciberespacio

Vas al Café Ciberespacio. Contesta las preguntas a continuación. Usa las preposiciones **a, con, de** y **en** para describir tus actividades en el Café. Answers will vary.

1. ¿adónde vas? _______________

2. ¿qué lejos está de tu casa? _______________

3. ¿qué hay allí? _______________

4. ¿con quién vas? _______________

15 Mis navegaciones

Escribe un párrafo describiendo tus navegaciones por Internet. Usa las preposiciones **a, con, de** y **en.** Answers will vary.

____

____

____

____

Nombre ______________ Clase ______________ Fecha ______________

GRAMÁTICA: VERBS WITH PREPOSITIONS

¡Pobre Elena!

Elena no sabe como usar la computadora muy bien. ¡Pobrecita! Siempre le pasan cosas horribles cuando trata de usarla. Completa sus oraciones con las formas apropiadas de los verbos de la lista para saber qué le pasó esta vez. ¡No olvides las preposiciones necesarias!

aprender **olvidarse** **ayudar** **tratar** **acabar**
invitar **empezar** **enseñar** **tener ganas**

1. Quiero aprender a usar esta hoja de cálculo.
2. Pero cada vez que empiezo a estudiar el manual, suena el teléfono.
3. Casi siempre es mi amigo Gerardo quien me invita a salir a cenar o a tomar un café.
4. Siempre se le olvida de que no tengo tiempo para divertirme con él.
5. Cada vez que trato de abrir el programa, el icono desaparece de la pantalla.

ACTIVIDAD 17

¡Qué ganas!

Tienes ganas de hacer muchas cosas porque es el fin del año escolar y quieres celebrar. Pero tu hermano(a) te dice que no puedes hacer lo que quieres porque hay otras cosas que tienes que hacer. Escribe tres diálogos que reflejan esta situación.

modelo: —Tengo ganas de comerme un helado enorme.
—¡Deja de pensar en tu helado! Tenemos que ayudar a mamá con los quehaceres.

1. Answers will vary.
2. ______________
3. ______________

Unidad 6 Etapa 3
CUADERNO Más práctica

Nombre ______________________ Clase ______________ Fecha ______________

ESCUCHAR

Tape 18 • SIDE B
CD 18 • TRACKS 10, 11

1 Cibernética

Seguro que has visitado una tienda de efectos electrónicos para comunicación. Haz una lista de las cosas que te llamaron la atención la última vez que estuviste en una de estas tiendas. ¿Por qué te interesaron? Escribe una oración corta sobre cada una.

____

____

____

____

____

____

2 Desacuerdo generacional

Escucha la opinión de esta reportera de tecnología. Después de oír la narración piensa sobre lo qué ha significado el rápido cambio en la sociedad para las personas mayores. Escribe tus impresiones. **Answers will vary.**

1. opinión sobre el rápido avance de la sociedad

____

2. la falta de personalidad de las máquinas

____

3. preferencias al resolver cualquier problema

____

4. opinión sobre los jóvenes y los aparatos electrónicos

____

5. idea sobre hacia dónde se encamina el mundo

____

LECTURA

Los libros

¿Cómo crees que se hacen los libros? Escribe un proceso corto.

El Mundo Editorial

Sin duda que el mundo editorial es un mundo complicado. La mayoría de las veces, cuando hablamos con alguien que desconoce lo que hace una editorial, esa persona piensa que solamente es necesario escribir el manuscrito, mandarlo a la imprenta y ya está.

Hoy en día, con el avance de la tecnología, el trabajo editorial se ha simplificado. Lo que pueden hacer las computadoras en mucho menos tiempo le ha dado un gran impulso a la industria del libro. Antiguamente, un linotipista era el compositor de la página. Hoy lo hace la computadora mediante un programa que forma cada página en cuestión de segundos. Por supuesto que antes de eso, un diseñador ideó, creó y realizó el diseño de cada parte del libro.

Antes de todo, sin embargo, un editor revisa el manuscrito que manda el autor a la editorial para comprobar que se ajusta a los planes editoriales. El editor revisa el manuscrito, se asegura de que no haya errores y le hace sugerencias al autor. Una vez de acuerdo el autor y el editor y terminada la labor editorial, el manuscrito pasa a manos del diseñador y de ahí a producción. El libro luego va a la imprenta, de donde saldrá el producto final que vemos en las librerías de venta al público.

ACTIVIDAD 4

La edición de un libro

Después de leer la selección anterior, contesta las siguientes preguntas.

1. ¿Cuál crees que sea el proceso más importante en la edición de un libro? ¿Por qué?

   Answers will vary.

2. ¿Te interesaría formar parte de un equipo editorial?

3. ¿En qué capacidad te gustaría trabajar en una editorial?

4. ¿Te gustaría escribir un libro alguna vez en tu vida?

Nombre ______________________ Clase ______________ Fecha ______________

GRAMÁTICA: COMPARATIVOS Y SUPERLATIVOS

ACTIVIDAD 5 A comprar

Escribe una oración usando la comparación de igualdad. Usa las siguientes oraciones.

modelo: Los vestidos de baile de Antonia y Cristina son muy bonitos.
El vestido de baile de Antonia es tan bonito como el de Cristina.

1. Las casas de esa urbanización y las de donde yo vivo son muy grandes.
   Las casas de esa urbanización son tan grandes como las de donde yo vivo.
2. París y Madrid tienen un encanto especial.
   Tanto París como Madrid tiene un encanto especial.
3. Los trenes y los aviones son medios de transporte muy cómodos para viajar.
   Tanto los trenes como los aviones son medios de transporte muy cómodos para viajar.
4. María y Elina limpian muy bien.
   María limpia tan bien como Elina.
5. Irma y Sima sacan notas excelentes en sus exámenes.
   Tanto Irma como Sima sacan notas excelentes en sus exámenes.

ACTIVIDAD 6 Comparativos de desigualdad

Completa las oraciones usando la comparación de desigualdad lógica.

1. Mi padre tiene 60 años y mi tío, 53; mi padre es mayor que mi tío.
2. Costa Rica tiene muchas playas, Nicaragua tiene algunas playas; Costa Rica tiene más playas que Nicaragua.
3. Joaquín es muy noble, su hermano es arrogante; Joaquín es menos orgulloso que su hermano.
4. Esta comida no sabe muy bien. Esa comida sí. Esta comida es peor que aquella.
5. Anselmo nació dos años después de Luisa; Anselmo es menor que Luisa.

ACTIVIDAD 7 Superlativos

Cambia cada oración usando el superlativo.

modelo: La Ciudad de México es una de las más contaminadas del mundo.
La Ciudad de México está contaminadísima.

1. Magdalena es una muchacha muy bella.
   Magdalena es bellísima.
2. Tira esos guantes son muy, muy viejos.
   Tira esos guantes, son viejísimos
3. De los dos, ella es superior.
   De los dos, ella es la mejor.
4. Ese artículo en el periódico es muy malo.
   Ese artículo en el periódico es el peor.
5. No me gusta ese restaurante. Siempre está muy ocupado.
   No me gusta ese restaurante. Siempre está ocupadísimo.

ACTIVIDAD 8 Comparativos o superlativos, decide

Fíjate bien en las oraciones y decide si debes usar el comparativo o el superlativo. Vuelve a escribir la oración con lo que decidas.

1. Tita es una repostera estupenda, pero Migdalia le lleva ventaja.
   Tita es una repostera estupenda, pero Migdalia es mejor.
2. Mariano mide 6 pies de estatura y Raúl mide también 6 pies.
   Mariano es tan alto como Raúl.
3. Él gasta dinero en cosas innecesarias, ella compra solamente lo necesario.
   Él gasta más dinero que ella / Ella gasta menos dinero que él.
4. Esa ciudad es deslumbrante de lo interesante que es.
   Esa ciudad es interesantísima.
5. La terminal de las Aerolíneas Vuela Nubes es amplia y cómoda, la de las Aerolíneas Vuela Bajo, no es muy cómoda.
   La terminal de las Aerolíneas Vuela Nubes es mejor que la de las Aerolíneas Vuela Bajo.

Nombre ______________________ Clase ______________ Fecha ______________

GRAMÁTICA: PREPOSICIONES

ACTIVIDAD 9 Preposiciones

Escribe la preposición que falta para completar las oraciones.

1. Vamos a pasar el verano _en_ Punta Arenas.
2. Ese mantel es bordado _a_ mano.
3. Piensan salir _de_ Guayaquil el viernes.
4. Siempre que estoy _con_ Marisela me río muchísimo.
5. Vinimos caminando _desde_ el centro, estamos muy cansados.
6. El actor actúa _según_ le indique el director.
7. Micaela vive frente _a_ la escuela.
8. La familia que se mudó ayer es _de_ Chile.

ACTIVIDAD 10 Tú comparas

Escribe seis oraciones con los comparativos y superlativos siguientes.

menor que | el menos guapo de | peor que | mejor que | amabilísimo | más grande que

1. Answers will vary.
2. ______________________
3. ______________________
4. ______________________
5. ______________________
6. ______________________

Unidad 6 Etapa 3

CUADERNO Para hispanohablantes

Nombre _______________ Clase _______________ Fecha _______________

ACTIVIDAD 11 Verbos con preposiciones

Ya sabes que hay verbos que van seguidos de una preposición y otros que no. Los que se usan en las oraciones siguientes llevan preposición. Escribe la preposición correcta.

1. Los chicos nunca se acuerdan de traer la ropa de deportes.
2. Ya es hora de que se decidan a preparar el viaje.
3. Siempre se queja de dolor de cabeza.
4. Hay que aprender a valerse por uno mismo.
5. Ayudar a los demás es un deber de todos.
6. Nos cansamos de tanto andar por el museo.
7. Se rieron de sus chistes durante toda la visita.
8. Le dije que subiera al quinto piso, es un buen ejercicio.

ACTIVIDAD 12 Antes del evento

Piensa en algo que vas a hacer este fin de semana. Utiliza el siguiente banco de palabras para escribir una lista de las cosas que tienes que hacer antes de ese evento.

ayudar a, acordarse de, tener ganas de, aprender a, acabar de, tratar de, dejar de

Answers will vary.

Unidad 6 Etapa 3

CUADERNO Para hispanohablantes

Nombre ______________________ Clase ______________ Fecha ______________

ESCRITURA

ACTIVIDAD 13 Tu lugar imaginario

Como García Marques creó Macondo, crea tú un lugar imaginario y escribe un cuento corto que se desarrolle en el lugar que creaste. **Answers will vary.**

ACTIVIDAD 14 Tus autores favoritos

Hemos hablado en todas estas unidades sobre géneros literarios y varios autores. Has tenido la oportunidad de expresar tus gustos sobre los géneros literarios. Ahora les toca a los autores que más te gustan. Escribe sus nombres y lo que has leído. Da una breve explicación de por qué te gustan. **Answers will vary.**

Unidad 6 Etapa 3 CUADERNO Para hispanohablantes

Nombre ______________________ Clase ______________ Fecha ______________

CULTURA

ACTIVIDAD 15 El Internet

El Internet ha revolucionado todo el mundo. Ya cualquier persona que se queda en su casa puede pasar un buen rato frente a la computadora buscando lo que le interesa. Los estudiantes de muchas escuelas también se comunican con otros estudiantes en otras partes del país y hasta en el extranjero. ¿Cómo crees que este intercambio beneficia a todos? Explica. **Answers will vary.**

____

____

____

____

ACTIVIDAD 16 Tu opinión

Has leído mucho sobre la cultura de los países latinoamericanos y la influencia de ellos en Estados Unidos. Comenta en un párrafo corto lo que has aprendido sobre las culturas latinoamericanas. **Answers will vary.**

____

____

____

____

____

ACTIVIDAD 17 La última actividad del año

Escribe lo que más te gustó y te impresionó en este curso donde aprendiste a hablar y a escribir mejor el español. Da tres ejemplos específicos. **Answers will vary.**

____

____

____

____

Nombre ______________________ Clase ______________ Fecha ______________

1 La computadora ideal

Estudiante A

Pregúntale a tu compañero(a) qué quiere Marta para su computadora. Después, pregúntale a tu compañero(a) lo que quiere Ramiro para la suya.

¿Qué quiere Marta para su computadora?

____

____

____

____

¿Qué quiere Ramiro para su computadora?

____

____

____

____

Estudiante B

Dile a tu compañero(a) lo que quiere Marta para su computadora. Después, contesta las preguntas de a tu compañero(a) sobre lo que quiere Ramiro para la suya.

Marta

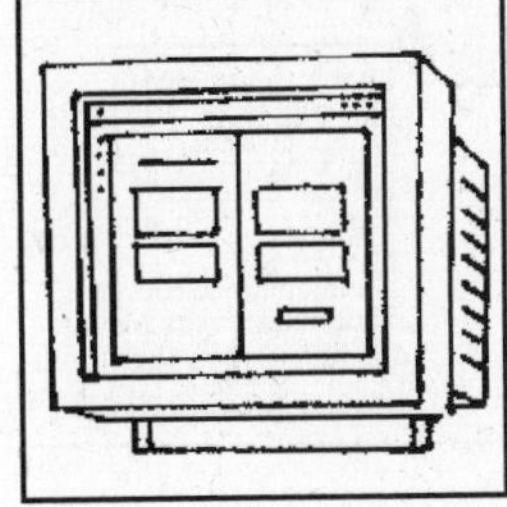

Ramiro

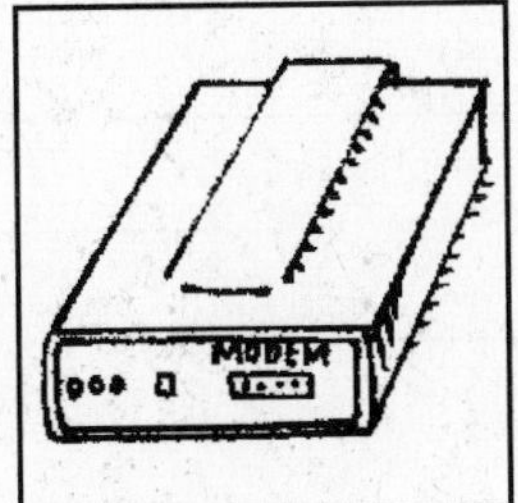

Unidad 6 Etapa 3 Information Gap Activities

Nombre ______________________ Clase ______________ Fecha ______________

2 En el ciberespacio

Estudiante A

Pregúntale a tu compañero(a) qué aspectos de Internet le interesan más. Después, dile a tu compañero(a) los aspectos de Internet que más te gustan a ti.

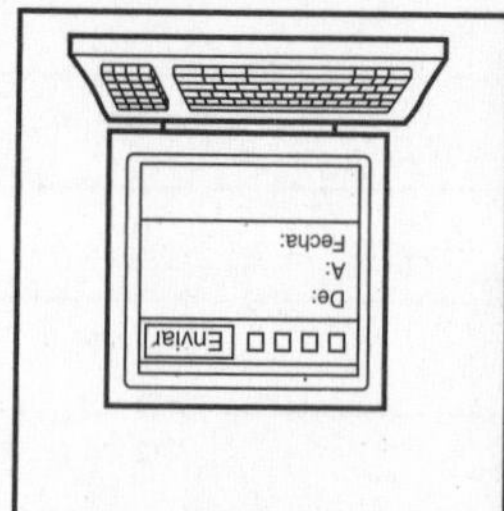

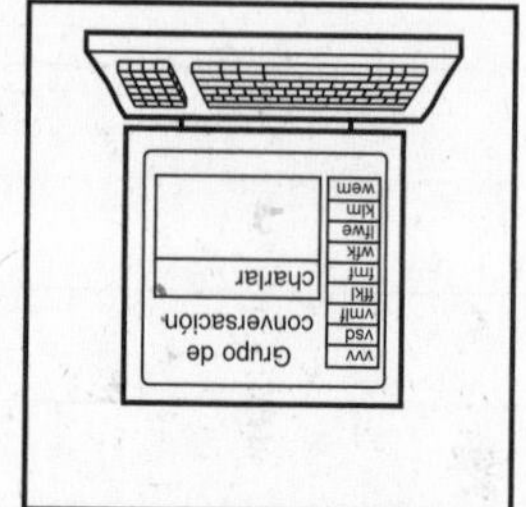

¿Qué te gusta a ti en Internet?

____

____

____

____

Estudiante B

Dile a tu compañero(a) qué aspectos de Internet te interesan más. Después, pregúntale a tu compañero(a) los aspectos de Internet que más le gustan a él o ella.

¿Qué te interesa a ti en Internet?

____

____

____

____

Nombre ______________________ Clase ______________ Fecha ______________

3 La red mundial

Estudiante A

Pregúntale a tu compañero(a) para qué usa Internet. Después, dile a tu compañero(a) los servicios que tú usas en Internet.

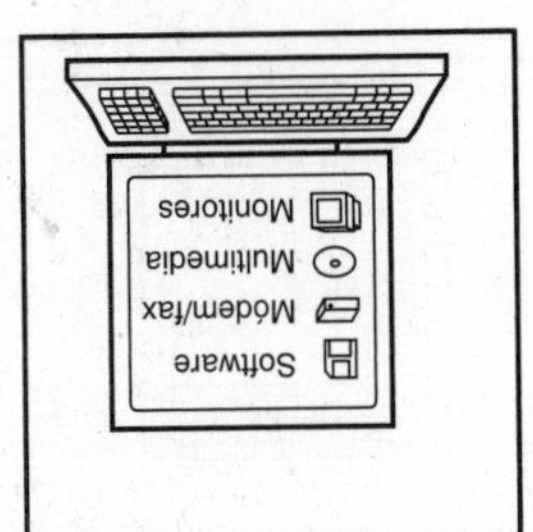

¿Para qué usa la red tu compañero(a)?

____

____

____

____

Estudiante B

Dile a tu compañero(a) para qué usas Internet. Después, pregúntale a tu compañero(a) los servicios que él o ella usa en Internet.

¿Para qué usa la red tu compañero(a)?

____

____

____

____

Nombre ______________________ Clase ______________ Fecha ______________

4 Ahora eres tú el (la) profesor(a) de informática

Estudiante A

Pregúntale a tu compañero(a) cuáles son las partes de una computadora. Después, explícale a tu compañero(a) cuáles son los elementos importantes de la red mundial.

¿Cuáles son las partes de una computadora que menciona tu compañero(a)?

____

____

____

____

Estudiante B

Contesta las preguntas de tu compañero(a) sobre cuáles son las partes de una computadora. Después, pregúntale a tu compañero(a) cuáles son los elementos importantes de la red mundial.

¿Cómo funciona la red mundial?

____

____

____

____

Nombre _______________ Clase _______________ Fecha _______________

NECESIDADES

Interview a family member and ask him or her which of the following aspects of computer-based communication are absolutely necessary.

- First explain what the assignment is.
- Then ask him or her the question below.
  ¿Cuáles son necesarios?
- Don't forget to model the pronunciation of the words used so that he or she feels comfortable saying them in Spanish. Point to the name of each kind of computer-based communication as you say the words.
- After you have the answer, complete the sentence at the bottom of the page.

su propia página-web en la red mundial

un fax/módem interno

el correo electrónico

un programa de software para navegar por Internet

Pienso que _______________________________________ es necesario.

Unidad 6 Etapa 3 Family Involvement

¿POR QUÉ NAVEGAS POR INTERNET?

Interview a family member and ask him or her to say which of these types of Web pages he or she usually looks for when he or she surfs the net.

- First explain what the assignment is.
- Then ask him or her the question below.
  ¿Qué buscas usualmente cuando navegas por Internet?
- Don't forget to model the pronunciation of the various types of Web pages so that he or she feels comfortable saying them in Spanish. Point to the name of type of pages as you say the words.
- After you get the answer, complete the sentence at the bottom of the page.

un grupo de conversación

una agencia de viajes

juegos

un grupo de noticias

Usualmente busco______________________________.

En vivo, Pupil's Edition Level 3 pages 438–439

Disc 18 Track 1

El mejor sistema

2 El señor Martínez te describe el sistema de computación que quiere para la oficina. Escucha lo que dice e identifica las categorías que tienes que investigar en la página-web de OficinaNet, según sus necesidades.

1. «El disco duro tiene que tener más de 3.2 GB».
2. «Quiero que la pantalla del monitor sea muy grande».
3. «El módem tiene que ser interno».
4. «Necesitamos una hoja de cálculo muy buena para hacer las cuentas.
5. «El sistema tiene que tener capacidades de multimedia. El CD-ROM es muy importante para nuestros negocios».
6. «Quiero una impresora láser de color».
7. «Necesitamos una base de datos para mantener toda la información sobre nuestros clientes».
8. «También quiero comprar una computadora portátil para usar cuando viajo».
9. «Vamos a necesitar un programa anti-virus».

En acción, Pupil's Edition Level 3 pages 443, 448

Disc 18 Track 2

Actividad 5 Marcos

Estás en CompuVisión, un almacén de productos electrónicos, con tu amigo venezolano Marcos. Él tiene unas opiniones muy fuertes sobre varias cosas que quieres comprar. Escucha a Marcos y escribe su opinión sobre los objetos indicados.

modelo: Esta computadora tiene mucha memoria. Tiene tanta memoria como ésa.

1. ¿Has jugado este juego interactivo alguna vez? Éste es más divertido que ése.
2. Espero que tengas un programa anti-virus. Si no, te recomiendo éste. Este programa anti-virus es el mejor en el mercado.
3. Tu módem es demasiado lento. Este módem es el más rápido que existe.
4. Nunca compres esta marca de computadora. Es la peor en el mercado.
5. ¿Necesitas una hoja de cálculo? Esta hoja de cálculo es más útil que ésa.
6. Debes comprar la computadora aquí en CompuVisión. En este momento, CompuVisión ofrece el mejor descuento.
7. ¡Mira el precio! Casi no lo puedo creer. ¡Es el mejor precio que he visto por un sistema de computación!

Disc 18 Track 3

Actividad 13 La página-web

Escucha lo que le pasó a Eduardo cuando él y sus amigos decidieron crear una página-web. Completa las oraciones para describir su situación.

Eduardo: Hoy mis amigos y yo tratamos de crear una página-web. Empezamos a diseñarla a las ocho de la mañana. ¡Son las ocho de la noche y apenas acabamos de terminarla! Ricardo vino a ayudarnos. Hay que saber muchas cosas para crear una página-web interesante. Pero ahora tengo que irme. Mi novia está esperándome para cenar. ¡Me olvidé de la cita! Me acordé de ella cuando vi mi reloj. ¡Caramba! Ella insiste en que yo sea puntual. ¡Me va a matar!

En voces, Pupil's Edition Level 3 pages 450–451

Disc 18 Track 4

Lectura

Gabriel García Márquez

«Muchos años después, ante el pelotón de fusilamiento, el coronel Aureliano Buendía había de recordar aquella tarde remota en que su padre lo llevó a conocer el hielo».

Así comienza *Cien años de soledad* (1967), la novela más conocida de Gabriel García Márquez, uno de los escritores principales de las Américas en el siglo XX. Se ha dicho que dentro de la literatura latinoamericana, *Cien años de soledad* tiene tanta importancia como *El Quijote* de Cervantes.

Como en muchas de las obras de Garía Márquez, esta novela entreteje las historias de individuos con la historia de su pueblo. En *Cien años de soledad,* el pueblo es Macondo y los individuos son los miembros de la familia Buendía. García Márquez narra los acontecimientos de la historia del pueblo y de la familia Buendía utilizando un estilo conocido como realismo mágico. Este estilo combina la realidad con elementos fantásticos.

El escritor insiste en que el realismo mágico no es una combinación de elementos reales y fantásticos, sino que es la manera en que sucede la vida cotidiana de Colombia. García Márquez nació en ese país en 1928 y se crió con sus abuelos hasta la edad de ocho años. Los cuentos que le hacía su abuela influyeron sus escritos.

Cuando era joven, García Márquez se dedicó al periodismo. Publicó su primera novela, *La hojarásca,* en 1955. En *El coronel no tiene quien le escriba* (1957), García Márquez siguió utilizando la historia de Colombia como marco de referencia para sus protagonistas. Su fama aumentó con *El otoño del patriarca* (1975) y *Crónica de una muerte anunciada* (1981). En 1982, García Márquez ganó el Premio Nóbel de Literatura. Continúa escribiendo novelas y guiones para películas.

Sin duda, García Márquez es una de las voces más potentes de América Latina. Su visión sugiere que el individuo es protagonista de dos historias: la de su vida y la de su pueblo. Al leer la obra de García Márquez, vemos que a veces no es fácil saber dónde comienza una historia y termina la otra. Nuestra inquietud no es confusión, sin embargo: es el comienzo de la busqueda intrépida de quiénes somos y seremos en el lugar donde nos ha tocado vivir, sea en Macondo o Main Street.

Disc 18 Track 5

Resumen de la lectura

Gabriel García Márquez

García Márquez es un escritor colombiano. Él vivió con su abuela hasta los ocho años, y los cuentos que ella le hacía influyeron en sus escritos. García Márquez emplea el realismo mágico en sus obras. Él cree que el realismo mágico es la manera en que sucede la vida cotidiana en Colombia. La novela *Cien años de soledad,* es la obra más conocida de García Márquez. La visión de este escritor nos invita a buscar quiénes somos y quiénes seremos en el lugar donde nos ha tocado vivir.

Más práctica pages 153–154

Disc 18 Track 6

Actividad 1 El software

Una señora habla con una amiga y le explica qué programas necesita. Escucha lo que dice y luego escribe el programa que describe en los espacios en blanco, escogiendo de la lista.

1. Necesito comprar varios programas para mi computadora.
2. Tengo muchos datos que organizar para mi trabajo.
3. Según lo que oigo, es importante proteger mis programas y mis documentos.
4. A mis hijos les encanta jugar en la computadora.
5. Como yo hago todas las cuentas en la computadora, tengo que hacer muchas calculaciones.

Disc 18 Track 7

Actividad 2 Una nueva computadora

Escucha la descripción que le da Claudia a una amiga de su nueva computadora. Luego, marca los equipos que vinieron con la computadora.

Claudia: No vas a creer lo que mis padres me compraron hoy. ¡Una nueva computadora! Es increíble. Vino con todas las cosas que necesito. Tiene suficiente memoria para hacer todos mis proyectos gráficos y un microprocesador bastante rápido. También tiene un módem. Ahora puedo conectarme al Internet y mandarte correo electrónico. Además, mis padres no tuvieron que comprar los altoparlantes ni el micrófono multimedia porque ya vinieron instalados. El monitor y el teclado también estaban incluídos. Entonces, sólo tuvieron que comprar la impresora a color y las tarjetas de gráfica y de sonido. Desafortunadamente las tarjetas no vinieron con el sistema, y tú sabes cómo las necesito. Ay, ¡te va a encantar esta computadora! ¿Por qué no vienes a la casa mañana para verla?

Disc 18 Track 8

Actividad 3 Unas preguntas

Contesta las preguntas que tiene Ricardo sobre las computadoras y el ciberespacio.

1. ¿Qué necesito para tener acceso a y mantener la seguridad de una computadora?
2. ¿Cómo se llaman las personas que usan una computadora?
3. ¿Cómo puedo comunicarme con alguien por Internet?
4. ¿Qué puedo usar para buscar información en la red mundial?
5. Me dicen que hay dos lugares donde puedo guardar información. Uno es externo y el otro es interno. ¿Cuáles son?

Disc 18 Track 9

Actividad 4 El Internet

Escucha la conversación que tiene Chela con su abuelo sobre el Internet. Luego, contesta las preguntas con oraciones completas.

Abuelo: Chela, por fin tu abuelo va a conectarse a Internet. Pero no sé exactamente cómo hacerlo. Ojalá que me puedas ayudar.

Chela: ¡Cómo no! Sería un placer. Primero, usaremos el módem para conectarnos a la línea telefónica.

Abuelo: ¿Y para qué es esta tarjeta?

Chela: Es una tarjeta de sonido. Vamos a usarla para aprovechar el audio que acompaña a casi todas las páginas Web.

Abuelo: ¿Estamos listos?

Chela: Sí. Haz un doble clic en el ícono del programa que usas para Internet. Nos conectaremos en un minuto. Mira abuelo, ya tienes una carta en tu buzón electrónico.

Abuelo: Entonces, ¿alguien ya me mandó correo electrónico?

Chela: Sí, probablamente es la compañía que usas. ¿Quieres ver qué más hay aparte del correo?

Abuelo: Sí, enséñame todo. Mi amigo Jorge dice que puedo conversar con otras personas cuando estoy en línea.

Chela: Sí, es cierto. Puedes tener conversaciones escritas por medio de un grupo de conversación. O si quieres saber las últimas noticias, puedes ir a un grupo de noticias. Pero lo más interesante de Internet es buscar información en los sitios diferentes de la red mundial. Puedes usar un servicio de búsqueda y encontrar información sobre todo tema.

Abuelo: Qué interesante. Y para desconectarme de Internet, ¿qué hago?

Chela: Haz un doble clic allí en este ícono y te desconectas.

Abuelo: Muchísimas gracias, Chela. Eres una maravilla.

Para hispanohablantes page 153

Disc 18 Track 10

Actividad 1 Cibernética

Seguro que has visitado una tienda de efectos electrónicos para comunicación. Haz una lista de las cosas que te llamaron la atención la última vez que estuviste en una de estas tiendas. ¿Por qué te interesaron? Escribe una oración corta sobre cada una.

Disc 18 Track 11

Actividad 2 Desacuerdo generacional

Escucha la opinión de esta reportera de tecnología. Después de oír la narración piensa sobre lo qué ha significado el cambio rápido en la sociedad para las personas mayores. Escribe tus impresiones.

La cibernética y las relaciones humanas.

Narrator: Hace unos cuantos años no se concebía que la comunicación entre los seres humanos y las máquinas ocuparían un lugar tan imprescindible en nuestra vida diaria. Hay personas que se pasan todo el tiempo en su trabajo y profesión enfrascados en las computadoras. No tienen otro contacto humano más que el que se establece a través de la misma computadora, ya sea por medio de discos o de correo electrónico. Lo cierto es que podemos pasarnos días y semanas sin que tengamos necesidad de hablar con nadie. Las máquinas han ocupado esa necesidad del ser humano.

Hoy en día ya no se puede volver atrás. Vamos al banco y podemos hacer nuestras transacciones a través de máquinas. Apenas sí tenemos, en contadas ocasiones, que ocupar el tiempo de un empleado del banco. Llamamos por teléfono a cualquier lugar y solamente escuchamos una serie de mensajes que nos indica qué botón apretar para resolver nuestra pregunta. Viajamos y no necesitamos de asistente alguno pues podemos obtener nuestro billete electrónicamente por medio de una máquina.

¿Ha perdido personalidad el mundo con todo este ajetreo moderno? Está por verse. Las opiniones están divididas. Esto constituye un problema generacional donde las personas mayores se resisten a la falta de personalidad del momento, mientras que las más jóvenes se entregan completamente a los adelantos de los que goza nuestra sociedad.

Etapa Exam Forms A&B pages 119 and 124

Disc 20 Track 17

A. Mercedes Suárez habla sobre el mundo de las computadoras. Escucha lo que dice y después indica cuál de las posibilidades completa mejor estas oraciones. Strategy: Remember to listen carefully as you think about the vocabulary you have learned to talk about computer equipment and cyberspace. Read through the questions so that you will know what to listen for.

Examen para hispanohablantes page 129

Disc 20 Track 17

A. Mercedes Suárez habla sobre el mundo de las computadoras. Escucha lo que dice y después indica cuál de las posibilidades completa mejor estas oraciones. Strategy: Remember to listen carefully as you think about the vocabulary you have learned to talk about computer equipment and cyberspace. Read through the questions so that you will know what to listen for.

Mercedes Suárez: Me llamo Mercedes Suárez. Estudié informática y me he dedicado a explicar a todo el mundo cómo funciona una computadora. Escribo libros y tengo un programa en la televisión en el cual describo los componentes de una computadora. También tengo una página-web donde se puede escoger entre las posibilidades del menú. Se pueden usar los enlaces de la página para explorar varios aspectos del mundo de la informática. Hablo del hardware como los discos, la tarjeta de sonido, la tarjeta gráfica y el fax-módem. También hablo del software como la base de datos, los programas anti-virus y los juegos interactivos. Tengo una dirección electrónica adonde es posible enviarme mensajes. Las personas me hacen preguntas y yo les contesto a través del correo electrónico.

Así vivo en el ciberespacio tanto como en el mundo de la realidad. Viven en mi mundo real aquí en Atlanta mi esposo Miguel y nuestros hijos gemelos, Toni y Polo. Mi esposo es profesor de computación en la universidad y autor de libros sobre informática también. Los niños son especialistas en computación ya aunque tienen solamente siete años. Miguel y yo les enseñamos a usar la computadora cuando eran bebés. A los dos les fascinaba la pantalla y les interesaban los sonidos. Cuando tenían cuatro años escogieron su contraseña y aprendieron a conectarse. Les gustaba usar el ratón y hacer clic en el ícono del programa.

Ahora usan la computadora para hacer su tarea además de jugar juegos y navegar por Internet. Cada uno tiene su dirección electrónica y así se comunican con sus amigos. Miguel y yo no permitimos que entren en los grupos de conversación porque no creemos que valgan la pena.

Vivimos en la edad de los datos. Me doy cuenta de que la computadora representa no sólo el mundo del presente sino el del futuro. Mi marido y yo nos alegramos de que nuestros hijos estén listos para participar en ese mundo.

Unit Comprehensive Test page 136

Disc 20 Track 18

A. Luisa Martínez habla de la televisión. Después de oír lo que dice traza un círculo alrededor de la C si la oración es cierta o de la F si la oración es falsa. Strategy: Remember to read through the statements below before you hear the passage so you will know what to listen for.

Luisa: Me llamo Luisa Martínez. Ahora que tenemos la televisión por cable es aún más difícil controlar los programas que ven los chicos. Claro que Mauricio y yo nunca dejamos que Rita, Pepe y Nacho vean programas prohibidos para menores. Pero hay muchos canales con muchos programas y a nuestros hijos les encanta ver lo que hay. Los tres van navegando con el control remoto. Ni quieren leer la teleguía porque dicen que es más entretenido navegar. Claro que hay programas que valen la pena. Hemos visto unos documentales muy interesantes y de vez en cuando ponen una película con una buena trama, buena dirección y buenos actores. Pero hay muchos programas sensacionalistas que se ven a todas horas del día y de la noche. Yo no permito que los chicos miren estos programas a menos que sean aptos para toda la familia.

Disc 20 Track 19

B. Escucha lo que Javier Calderón dice de la tecnología y luego completa las oraciones según lo que has oído. Strategy: Remember what you have learned to say about technology.

Javier: Me llamo Javier Calderón y me encantan los aparatos electrónicos. Tengo tres televisores y dos computadoras portátiles, tres videocámaras, un fax multifuncional, cinco teléfonos celulares y cuatro teléfonos inalámbricos. Cuando se me descompone un aparato electrónico voy inmediatamente a comprarme otro. Hace una semana se me cayó y se me rompió el radio portátil. Leí los anuncios en el periódico para encontrar rebajas. Siempre compro las mejores marcas pero busco buenos descuentos y garantías también. Tuve que viajar hasta noventa millas desde mi casa para encontrar un radio que me gustara. La tienda donde compré el radio tenía de todo y a precios muy bajos. Por eso compré también un identificador de llamadas, otra contestadora automática y un equipo estereofónico. No es que necesite tantos aparatos electrónicos pero es importante que sepa cómo funcionan. ¿Encuentras raro que me dedique a estudiar los aparatos electrónicos? Puede ser, pero escribo una guía para el consumidor y me hace falta poner los aparatos a prueba. Los consumidores compran la guía para saber si un aparato es bueno o malo.

Prueba comprensiva para hispanohablantes page 144

Disc 20 Track 20

A. Escucha lo que dice Silvina González de la televisión y completa las oraciones siguientes según lo que has oído. Strategy: Remember what you've learned about television.

Silvina: Me llamo Silvina González y tengo un problema con la televisión. Recién mandamos instalar una antena parabólica en mi casa para mejorar la recepción. La antena nos trae una gran cantidad de canales, pero lo que me preocupa son mis tres hijos. El mayor tiene ocho años, la niña tiene seis y el menor tiene cuatro. Pero son adultos cuando se trata de aparatos electrónicos. Los manejan mejor que mi esposo y yo. Así que cogen el control remoto y navegan por los canales, cosa que no me gusta para nada. Le he dicho al mayor que lea la teleguía para encontrar los programas en vez de navegar, pero les divierte más navegar. Mi esposo y yo no permitimos que vean programas prohibidos para menores. En familia vemos documentales sobre animales, programas de música y otras cosas que valen la pena. A mi esposo y a mí nos gustan los dramas de calidad, en español o en inglés y también las películas antiguas. Pero no dejamos que los chicos vean programas a menos que sean aptos para toda la familia. Voy a tener que imponerme un poco y prohibir que naveguen por los canales.

Disc 20 Track 21

B. Escucha lo que dice Ignacio Sotelo de su trabajo y contesta las preguntas siguientes. Strategy: Remember the vocabulary you have learned to talk about different types of high-tech appliances. Read through the questions first so that you will know what to listen for.

Ignacio: Me llamo Ignacio Sotelo y soy dueño de una guía para el consumidor que publico todos los meses aquí, en Caracas. La sección más grande de mi guía tiene que ver con aparatos electrónicos, porque todo el mundo quiere aprovechar la comodidad y las posibilidades comunicativas de la nueva generación de máquinas. Para poder escribir inteligentemente sobre los aparatos, los tengo que utilizar yo mismo. Por eso tengo una oficina llena de computadoras, teléfonos inalámbricos y celulares, radios y televisores, máquinas fax multifuncionales y equipos estereofónicos. A mis hijos les encantan los aparatos y ahora que están más grandes, me ayudan a probarlos. Ya puedo confiar en sus recomendaciones y el mayor está emocionado con la idea de que pronto podrá escribir un artículo comparando diversos videojuegos y que el artículo aparerá con su nombre. ¿Quién sabe? A lo mejor mis hijos querrán seguir la misma vía que yo. Seguro que no faltarán nuevos aparatos en el futuro. ¡Tendrán sobre qué escribir!

Final Exam page 161

Disc 20 Track 22

A. Escucha lo que dice Isabel Domínguez de la oportunidad que consiguió y después indica cuál de las respuestas completa mejor las oraciones.

Isabel Domínguez: Me llamo Isabel Domínguez. Soy de ecuador y me interesa mucho la cultura indígena de mi país y de los otros países de Latinoamérica. Mis padres tienen una fábrica de textiles y yo les sugerí que comenzaran una línea de productos con diseños indígenas. Primero investigué en la red para darles una idea del mercado que tendrían. Luego hice una gráfica con un software especial para negocios y la imprimí en el impresor a colores. ¡Quedó bastante impresionante! Mientras tanto, mi amiga Teresita me ayudó escribiendo por correo electrónico a las tribus indígenas que encontramos en la red para que nos enviaran muestras de su trabajo. Teresita explicó nuestra idea, asegurando que devolveríamos las muestras después de hacer la presentación a mis padres. Jaime, mi hermano mayor, nos vio trabajando, y nos ayudó a hacer un banco de datos para que pudieramos organizar toda la información que conseguimos. Finalmente, yo hice una página web con fotos, enlaces, y la gráfica. Cuando mis padres vieron que Teresita y yo habíamos trabajado tanto, decidieron que nos pagarían un viaje a Chiapas, México, para aprender las técnicas y los diseños que usan las tejedoras mayas desde hace más de mil años. También hablaremos con varias líderes de las tejedoras para ver si podemos firmar un contrato con ellas. ¡Es una oportunidad increíble para nosotras!

COOPERATIVE QUIZZES

Comparatives

Construye oraciones con el **comparativo** indicado.

1. este enlace/(=) bueno/el otro
______
2. los juegos interactivos/(+) divertido/los juegos tradicionales
______
3. la computadora mía tiene/(=) memoria/la tuya
______
4. la dirección/(-) importante/la contraseña
______
5. esta hoja de cálculo/(=) rápido/la mía
______

Superlatives

Construye oraciones con el superlativo indicado.

1. este software/el programa/(-) útil
______
2. estos estudiantes/los usuarios/(+) inteligentes
______
3. esta página-web/el sitio/(+) interesante
______
4. el módem/el aparato/(+) necesario
______
5. los audífonos/la parte del sistema/(-) importante
______

QUIZ 3 Prepositions

Completa las oraciones con la **preposición** que falta.

1. Los Muñoz viven ________________ dos horas de la ciudad.
2. Vienen a vernos ________________ una semana.
3. Jorge va a venir ________________ Susana. Ella siempre lo acompaña.
4. ¿Me prestas tu libro ________________ informática?
5. ¿A qué hora sale el avión ________________ Caracas para Bogotá?

QUIZ 4 Verbs with prepositions

Completa estas oraciones con la palabra que falta.

1. Acabamos ________________ comprar una nueva computadora.
2. Hay ________________ estudiar informática.
3. ¿Me ayudas ________________ aprender este programa?
4. Nunca me acuerdo ________________ hacer clic en el ícono.
5. Ven. Te invito ________________ tomar un refresco.

Nombre ______________________ Clase ______________ Fecha ______________

Test-taking Strategy: Remember, before beginning your exam, take a deep breath and try to relax. The more relaxed you are, the easier it will be to think clearly.

ESCUCHAR

Tape 20 • SIDE B
CD 20 • TRACK 17

A. Mercedes Suárez habla sobre el mundo de las computadoras. Escucha lo que dice y después indica cuál de las posibilidades completa mejor estas oraciones. **Strategy: Remember to listen carefully as you think about the vocabulary you have learned to talk about computer equipment and cyberspace. Read through the questions so that you will know what to listen for.** (10 puntos)

1. Mercedes y Miguel Suárez ______.

a. tienen una página-web

b. venden computadoras

c. enseñan en la universidad

d. escriben libros sobre la informática.

2. En su página-web Mercedes habla de ______.

a. hardware y software

b. los micrófonos

c. la vida de Atlanta

d. las hojas de cálculo

3. Cuando tenían cuatro años Toni y Polo ______.

a. hacían su tarea en la computadora

b. escogieron su contraseña

c. usaban la base de datos

d. tenían miedo del ratón

4. Mercedes y Miguel no permiten que los gemelos ______.

a. se comuniquen con sus amigos

b. tengan dirección electrónica

c. hagan su tarea en la computadora

d. participen en los grupos de conversación

5. Mercedes y Miguel se alegran de ______.

a. vivir en la edad de los datos

b. que haya vida en el ciberespacio

c. que sus hijos conozcan la computadora

d. ser especialistas en computación

Nombre ______ Clase ______ Fecha ______

LECTURA Y CULTURA

Lee lo que dice Cristina del Olmo de la computadora y el ciberespacio. **Strategy: Remember what you have learned about describing computer equipment and cyberspace as you read the passage.** (10 puntos)

Me llamo Cristina del Olmo, tengo diecisiete años y soy estudiante en el colegio de Lima. Mi profesor de inglés organizó un intercambio con un colegio norteamericano y los chicos de mi clase les escribimos electrónicamente a los estudiantes norteamericanos. Nos ayudamos con la lengua. Una semana escribimos en inglés y la otra en español. A través del correo electrónico llegué a conocer a Kimberly Smith, una chica que vive en Minnesota. Nos escribimos tanto que nos hicimos muy amigas. La familia de Kimberly me invitó a pasar las vacaciones de Navidad con ellos y acepté. Así que tomé el avión el veintidós de diciembre y pasé una semana en casa de los Smith. Lo pasé muy bien. Mis padres han invitado a Kimberly a pasar las vacaciones con nosotros en Lima y ¡va a venir! Mientras tanto seguimos en contacto por correo electrónico. Kimberly y yo compartimos el interés en la computadora. Nos escribimos sobre hardware y software. Le recomendé la marca de módem que uso yo y ella me aconsejó que comprara el fax que tiene ella. Nos gustan los mismos juegos interactivos y a las dos nos encanta navegar en la red mundial. Pensamos asistir a la misma universidad el año que viene. Adivina lo que vamos a estudiar. ¡Viva el ciberespacio!

Unidad 6 Etapa 3

Exam Form A

B. ¿Comprendiste? Lee las siguientes oraciones y traza un círculo alrededor de la **C** si la oración es cierta o la **F** si es falsa. (10 puntos)

C F **1.** Cristina y Kimberly se conocieron por correo electrónico.

C F **2.** Kimberly celebrará la Navidad en Lima.

C F **3.** Cristina viajó a Minnesota.

C F **4.** Cristina le recomendó un módem a Kimberly.

C F **5.** Cristina y Kimberly estudiarán juntas el año próximo.

C. ¿Qué piensas? Contesta las siguientes preguntas. (10 puntos)

1. ¿Qué te parece el intercambio electrónico para practicar la lengua?

______

______

2. ¿Te gustaría conocer a un(a) estudiante por correo electrónico? ¿Por qué (no)?

______

______

Nombre ______________________ Clase ______________ Fecha ______________

VOCABULARIO Y GRAMÁTICA

D. Mira la ilustración y completa las oraciones. **Strategy: Remember the vocabulary you learned to talk about computer equipment and cyberspace.** (10 puntos)

1. La parte de la computadora donde escribimos la información es el ______________.
2. Vemos la información en el ______________.
3. Para conectar con Internet hay que usar un ______________.
4. Se hace clic con el ______________ .
5. Para copiar la información se usa un ______________.

E. Completa las oraciones con las **preposiciones** apropiadas. (10 puntos)

1. Carlos no se acordaba ______________ su contraseña cuando empezó ______________ usar la computadora.
2. Yo les enseñé ______________ usar el módem e insistí ______________ comprarles uno.
3. Comienzan ______________ usar la hoja de cálculo, pero todavía no dejan ______________ usar papel y lápiz.
4. Acaban ______________ volver a casa porque se olvidaron ______________ llevar la computadora.
5. Tratamos ______________ buscar unos enlaces interesantes y queremos aprender ______________ usarlos bien.

Unidad 6 Etapa 3

Exam Form A

Nombre ______________ Clase ______________ Fecha ______________

F. Completa las oraciones con las **preposiciones** ***a, con, de,*** o ***en.*** (10 puntos)

1. Hay que usar un servicio ___________ búsqueda.
2. Vamos a navegar por Internet ___________ una hora.
3. Aurora salió ___________ Pablo.
4. Vivimos ___________ media hora del centro.
5. Se despertaron ___________ las nueve y media.
6. A todos les gusta el arroz ___________ pollo.
7. Haz doble clic ___________ el ícono.
8. El programa anti-virus es ___________ mi amigo.
9. Vamos ___________ la papelería.
10. ¿No te interesan estos grupos ___________ conversación?

G. Escribe oraciones combinando las palabras de la izquierda con palabras de la derecha usando la forma correcta de **más, menos, tan, tanto(a)(os)(as)** para formar comparaciones y superlativos. (10 puntos)

página-web	**yo**
módem	**de todos**
discos	**los tuyos**
software	**el nuestro**
juegos interactivos	**la de Rodrigo**

1. ______________________________
2. ______________________________
3. ______________________________
4. ______________________________
5. ______________________________

Unidad 6 Etapa 3 Exam Form A

Nombre ____________ Clase ____________ Fecha ____________

ESCRITURA

H. Escribe un párrafo en una hoja aparte, describiendo el hardware de una computadora en tu escuela. **Strategy: Remember to use the table below to help you organize the vocabulary you learned for computer equipment.** (15 puntos)

Hardware	Qué hace
el disco	
el módem/fax	
la memoria	
la tarjeta gráfica	
la impresora	

Writing Criteria	Scale	Writing Criteria	Scale	Writing Criteria	Scale
Vocabulary Usage	1 2 3 4 5	Accuracy	1 2 3 4 5	Organization	1 2 3 4 5

HABLAR

I. Contesta las preguntas sobre el software que tienes. Usa las palabras. **Strategy: Remember to think about the software you have.** (15 puntos)

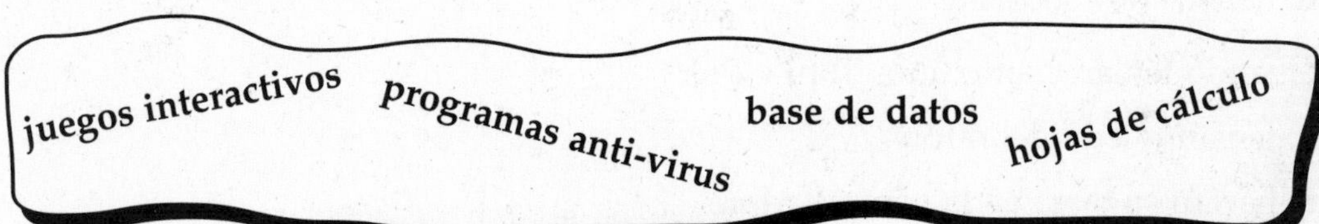

1. ¿Qué juegos tienes?
2. ¿Para qué sirve un programa anti-virus?
3. ¿Qué datos usas en tu base de datos?
4. ¿Para qué usas la hoja de cálculo?
5. ¿Cuál es tu programa favorito? ¿Cuál es el más útil?

Speaking Criteria	Scale	Speaking Criteria	Scale	Speaking Criteria	Scale
Vocabulary Usage	1 2 3 4 5	Accuracy	1 2 3 4 5	Organization	1 2 3 4 5

Nombre ______________________ Clase ______________ Fecha ______________

Test-taking Strategy: Remember, before beginning your exam, take a deep breath and try to relax. The more relaxed you are, the easier it will be to think clearly.

ESCUCHAR

Tape 20 • SIDE B
CD 20 • TRACK 17

A. Mercedes Suárez habla sobre la computadora. Escucha lo que dice y después indica cuál de las posibilidades completa mejor estas oraciones. **Strategy: Remember to listen carefully as you think about the vocabulary you have learned to talk about computer equipment and cyberspace. Read through the questions so that you will know what to listen for.** (10 puntos)

1. Mercedes y Miguel Suárez ______.

a. escriben libros sobre la informática

b. enseñan en la universidad

c. venden computadoras

d. tienen una página-web

2. En su página-web Mercedes habla de ______.

a. las hojas de cálculo

b. la vida de Atlanta

c. los micrófonos

d. hardware y software

3. Cuando tenían cuatro años Toni y Polo ______.

a. tenían miedo del ratón

b. hacían su tarea en la computadora

c. escogieron su contraseña

d. usaban la base de datos

4. Mercedes y Miguel no permiten que los gemelos ______.

a. participen en los grupos de conversación

b. se comuniquen con sus amigos

c. tengan dirección electrónica

d. hagan su tarea en la computadora

5. Mercedes y Miguel se alegran de ______.

a. ser especialistas en computación

b. que sus hijos conozcan la computadora

c. vivir en la edad de los datos

d. que haya vida en el ciberespacio

LECTURA Y CULTURA

Lee lo que dice Alejandra Calleja de la computadora y el ciberespacio.
Strategy: Remember what you have learned about describing computer equipment and cyberspace as you read the passage. (10 puntos)

Me llamo Alejandra Calleja, tengo diecisiete años y soy estudiante en el colegio de Quito. Mi profesor de inglés organizó un intercambio con un colegio norteamericano y los chicos de mi clase les escribimos electrónicamente a los estudiantes norteamericanos. Nos ayudamos con la lengua. Una semana escribimos en inglés y la otra en español. A través del correo electrónico llegué a conocer a Samantha Jones, una chica que vive en Wisconsin. Nos escribimos tanto que nos hicimos muy amigas. La familia de Samantha me invitó a pasar las vacaciones de Navidad con ellos y acepté. Así que tomé el avión el veintidós de diciembre y pasé una semana en casa de los Jones. Lo pasé muy bien. Mis padres han invitado a Samantha a pasar las vacaciones con nosotros en Quito y ¡ella va a venir! Mientras tanto seguimos en contacto por correo electrónico. Samantha y yo compartimos el interés en la computadora. Nos escribimos sobre hardware y software. Le recomendé una marca de módem que uso yo y ella me aconsejó que comprara el fax que tiene ella. Nos gustan los mismos juegos interactivos y a las dos nos encanta navegar en la red mundial. Pensamos asistir a la misma universidad el año que viene. Adivina lo que vamos a estudiar. ¡Viva el ciberespacio!

B. **¿Comprendiste?** Lee las siguientes oraciones y traza un círculo alrededor de la **C** si la oración es cierta o la **F** si es falsa. (10 puntos)

C F **1.** Alejandra y Samantha se conocieron por correo electrónico.

C F **2.** Samantha celebrará la Navidad en Quito.

C F **3.** Alejandra viajó a Wisconsin.

C F **4.** Alejandra le recomendó un módem a Samantha.

C F **5.** Alejandra y Samantha estudiarán juntas el año próximo.

C. **¿Qué piensas?** Contesta las siguientes preguntas. (10 puntos)

1. ¿Te gustaría conocer a un(a) estudiante por correo electrónico? ¿Por qué (no)?

____

____

2. ¿Qué te parece el intercambio electrónico para practicar la lengua?

____

____

Nombre ______________________ Clase ______________ Fecha ______________

VOCABULARIO Y GRAMÁTICA

D. Mira la ilustración y completa las oraciones. **Strategy: Remember the vocabulary you learned to talk about computer equipment and cyberspace.** (10 puntos)

1. La parte de la computadora donde escribimos la información es el ______________.
2. Vemos la información en el ______________.
3. Para conectar con Internet hay que usar un ______________.
4. Se hace clic con el ______________.
5. Para copiar la información se usa un ______________.

Unidad 6 Etapa 3

Exam Form B

E. Completa las oraciones con las **preposiciones** apropiadas. (10 puntos)

1. Tratamos ______________ buscar unos enlaces interesantes y queremos aprender ______________ usarlos bien.
2. Acaban ______________ volver a casa porque se olvidaron ______________ llevar la computadora.
3. Comienzan ______________ usar la hoja de cálculo, pero todavía no dejan ______________ usar papel y lápiz.
4. Yo les enseñé ______________ usar el módem e insistí ______________ comprarles uno.
5. Carlos no se acordaba ______________ su contraseña cuando empezó ______________ usar la computadora.

Nombre ______________________ Clase ______________ Fecha ______________

F. Completa las oraciones con las **preposiciones** ***a, con, de,*** o ***en.*** (10 puntos)

1. ¿No te interesan estos grupos ______________ conversación?
2. Vamos ______________ la papelería.
3. El programa anti-virus es ______________ mi amigo.
4. Haz doble clic ______________ el ícono.
5. A todos les gusta el arroz ______________ pollo.
6. Se despertaron ______________ las nueve y media.
7. Vivimos ______________ media hora del centro.
8. Aurora salió ______________ Pablo.
9. Vamos a navegar por Internet ______________ una hora.
10. Hay que usar un servicio ______________ búsqueda.

G. Escribe oraciones combinando las palabras de la izquierda con palabras de la derecha usando la forma correcta de **más, menos, tan, tanto(a)(os)(as)** para formar **comparaciones y superlativos.** (10 puntos)

página-web	**yo**
módem	**de todos**
discos	**los tuyos**
software	**el nuestro**
juegos interactivos	**la de Rodrigo**

1. ______________________________
2. ______________________________
3. ______________________________
4. ______________________________
5. ______________________________

Unidad 6 Etapa 3 Exam Form B

ESCRITURA

H. Escribe un párrafo en una hoja aparte, describiendo el hardware de una computadora en tu escuela. **Strategy: Remember to use the table below to help you organize the vocabulary you learned for computer equipment.** (15 puntos)

Hardware	Qué hace
el disco	
el módem/fax	
la memoria	
la tarjeta gráfica	
la impresora	

Writing Criteria	Scale	Writing Criteria	Scale	Writing Criteria	Scale
Vocabulary Usage	1 2 3 4 5	Accuracy	1 2 3 4 5	Organization	1 2 3 4 5

HABLAR

I. Contesta las preguntas de tu profesor(a) sobre el software que tienes. Usa la tabla para organizar tus ideas. **Strategy: Remember to think about the software you have.** (15 puntos)

juegos interactivos programas anti-virus base de datos hojas de cálculo

1. ¿Qué juegos tienes?
2. ¿Para qué sirve un programa anti-virus?
3. ¿Qué datos usas en tu base de datos?
4. ¿Para qué usas la hoja de cálculo?
5. ¿Cuál es tu programa favorito? ¿Cuál es el más útil?

Speaking Criteria	Scale	Speaking Criteria	Scale	Speaking Criteria	Scale
Vocabulary Usage	1 2 3 4 5	Accuracy	1 2 3 4 5	Organization	1 2 3 4 5

Nombre ______________________ Clase ______________ Fecha ______________

Test-taking Strategy: Remember, before beginning your exam, take a deep breath and try to relax. The more relaxed you are, the easier it will be to think clearly.

ESCUCHAR

Tape 20 • SIDE B
CD 20 • TRACK 17

A. Mercedes Suárez habla sobre el mundo de las computadoras. Escucha lo que dice y después contesta estas preguntas. **Strategy: Remember to listen carefully as you think about the vocabulary you have learned to talk about computer equipment and cyberspace. Read through the questions so that you will know what to listen for.** (10 puntos)

1. ¿En qué se especializan Mercedes y Miguel Suárez?

____

____

2. ¿Cómo comunica Mercedes sus ideas?

____

____

3. ¿Qué hicieron ya sus hijos a la edad de cuatro años?

____

____

4. ¿En qué aspecto de Internet no dejan Mercedes y esposo que sus hijos participen?

____

____

5. ¿Qué significa la computadora para Mercedes?

____

____

Nombre ______ Clase ______ Fecha ______

LECTURA Y CULTURA

Lee lo que dice Clara Muñoz de su empresa en la red. **Strategy: Remember what you have learned about describing computer equipment and cyberspace as you read the passage.** (10 puntos)

Me llamo Clara Muñoz. Soy dueña de una empresa muy interesante: una empresa en Internet. El comercio electrónico es el futuro, y me alegro mucho de que yo sea parte de este mundo nuevo.

En la universidad, cuando no tenía que estudiar, me divertía haciendo tarjetas de cumpleaños para mis amigos. Siempre les gustaba recibir una tarjeta original. Tomé unos cursos de arte gráfico en el ordenador y descubrí muchas formas de expresarme artísticamente. Empecé a hacer otras tarjetas de felicitación, de aniversario de bodas, para el nacimiento de un bebé, para felicitar a los graduandos y muchas más. Pero se las regalaba a mis amigos. Nunca se me ocurrió que podría ganar dinero con mis tarjetas hasta que tomé un curso de Internet en el cual estudiábamos la creación de páginas-web. Me di cuenta de que podía vender por Internet. Monté una empresa que se llama ¡Ciberfelicitaciones! En la página-web hay ejemplos de mis tarjetas para diferentes etapas de la vida: cumpleaños, bodas y otras. Los clientes pueden pedir cajas de doce o de veinticuatro tarjetas. Pagan a través de Internet con tarjeta de crédito. El negocio crece. Mi hermana Sofía trabaja conmigo ahora. En casa hay cajas de tarjetas por todas partes - ¡hasta en mi cama! y creo que vamos a tener que buscar una oficina.

En verdad el ciberespacio es maravilloso. ¡Mira lo que se puede crear con una computadora y un poco de imaginación!

B. **¿Comprendiste?** Lee las siguientes oraciones y marca con un círculo alrededor de la **C** si la oración es cierta o la **F** si es falsa. (10 puntos)

C F **1.** Clara Muñoz solicita empleo en una empresa donde se usan computadoras.

C F **2.** Clara tomó cursos para crear su propio negocio.

C F **3.** ¡Ciberfelicitaciones! es un comercio electrónico que vende tarjetas.

C F **4.** El negocio es pequeño, así es que su hermana no puede trabajar con ella.

C F **5.** Clara cree que pronto tendrá que buscar otro lugar para trabajar.

C. **¿Qué piensas?** Contesta las siguientes preguntas. (10 puntos)

1. ¿Qué te parece la empresa de Clara?

______

______

2. ¿Qué clase de empresa te gustaría a ti montar en la red?

______

______

VOCABULARIO Y GRAMÁTICA

D. Mira la ilustración y completa las oraciones. **Strategy: Remember the vocabulary you learned to talk about computer equipment and cyberspace.** (10 puntos)

1. La parte de la computadora donde escribimos la información es el ______________.
2. Vemos la información en el ______________.
3. Para conectar con Internet hay que usar un ______________.
4. Se hace clic con el ______________ .
5. Para copiar la información se usa un ______________.

E. Completa las oraciones con las **preposiciones** apropiadas. (10 puntos)

1. Carlos no se acordaba ______________ su contraseña cuando empezó ______________ usar la computadora.
2. Yo les enseñé ______________ usar el módem e insistí ______________ comprarles uno.
3. Comienzan ______________ usar la hoja de cálculo, pero todavía no dejan ______________ usar papel y lápiz.
4. Acaban ______________ volver a casa porque se olvidaron ______________ llevar la computadora.
5. Tratamos ______________ buscar unos enlaces interesantes y queremos aprender ______________ usarlos bien.

F. Completa las oraciones con las proposiciones **a, con, de,** o **en.** (10 puntos)

1. Vamos a navegar por Internet ______________ una hora.
2. Hay que usar un servicio ______________ búsqueda.
3. Aurora salió ______________ Pablo.
4. Se despertaron ______________ las nueve y media.
5. Vivimos ______________ media hora del centro.
6. A todos les gusta el arroz ______________ pollo.
7. Haz doble clic ______________ el ícono.
8. Vamos ______________ la papelería.
9. El programa anti-virus es ______________ mi amigo.
10. ¿No te interesan estos grupos ______________ conversación?

G. Escribe oraciones combinando las palabras de la izquierda con palabras de la derecha usando la forma correcta de **más, menos, tan, tanto(a)(os)(as)** para formar comparaciones y superlativos. (10 puntos)

página-web	**yo**
módem	**de todos**
discos	**los tuyos**
software	**el nuestro**
juegos interactivos	**la de Rodrigo**

1. ____
2. ____
3. ____
4. ____
5. ____

Nombre ______________________ Clase ______________ Fecha ______________

ESCRITURA

H. Escribe un párrafo en una hoja aparte, describiendo el hardware de una computadora en tu escuela. **Strategy: Remember to use the table below to help you organize the vocabulary you learned for computer equipment.** (15 puntos)

Hardware	Qué hace
el disco	
el módem/fax	
la memoria	
la tarjeta gráfica	
la impresora	

Writing Criteria	Scale	Writing Criteria	Scale	Writing Criteria	Scale
Vocabulary Usage	1 2 3 4 5	Accuracy	1 2 3 4 5	Organization	1 2 3 4 5

HABLAR

I. Contesta las preguntas de tu profesor(a) sobre el software que tienes. Usa la tabla para organizar tus ideas. **Strategy: Remember to think about the software you have.** (15 puntos)

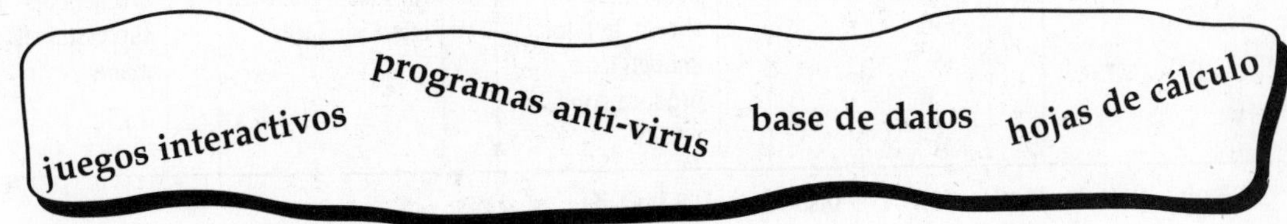

1. ¿Qué juegos tienes?
2. ¿Para qué sirve un programa anti-virus?
3. ¿Qué datos usas en tu base de datos?
4. ¿Para qué usas la hoja de cálculo?
5. ¿Cuál es tu programa favorito? ¿Cuál es el más útil?

Speaking Criteria	Scale	Speaking Criteria	Scale	Speaking Criteria	Scale
Vocabulary Usage	1 2 3 4 5	Accuracy	1 2 3 4 5	Organization	1 2 3 4 5

Nombre ______ Clase ______ Fecha ______

PORTFOLIO ASSESSMENT

Anuncio publicitario

Using the vocabulary of this *etapa* and the ads that appear in it as models, prepare your own advertisement for the ideal computer. Include an illustration (you can have a friend help you if you have trouble drawing) and a list of the features offered on the machine. Be as specific as possible about configuration. The ads produced by members of the class can be displayed on a bulletin board in the classroom.

Goal: A copy of your ad to be placed in your portfolio.

Scoring:

Criteria/Scale 1–4	(1)	Poor	(2)	Fair	(3)	Good	(4)	Excellent
Vocabulary	1	Limited vocabulary use	2	Some attempt to use known vocabulary	3	Good use of vocabulary	4	Excellent use of vocabulary
Written accuracy	1	Written Spanish not easily understood	2	Good try, but many major mistakes	3	Well written, clear, comprehensible	4	Very well written
Creativity	1	Little effort shown to create an intresting ad	2	Some attempt at writing an interesting ad	3	Imagination and creativity shown in project	4	Excellent use of creative faculties and imagination
Effort	1	Work shows little effort	2	Some effort shown, but not enough to produce good results	3	Ad shows good effort put forth	4	Excellent and successful effort made

A = 13–16 pts. B = 10–12 pts. C = 7–9 pts. D = 4–6 pts. F = < 4 pts.

Total Score: ______

Comments: ______

Nombre ____________________ Clase ____________________ Fecha ____________________

PORTFOLIO ASSESSMENT

ACTIVIDAD 2 Encuesta

Working with a partner, develop a survey for your fellow students to find out how they use their computers and for what purposes they use the Internet. For computers, find out the number of hours they spend per week using the computer for learning, research, general information shopping, and for entertainment. For the Internet, find out the role the net plays in their lives as a tool for communication, entertainment, research, education, etc. Present your results to the class.

Goal: A copy of your questions and a printout of your results to place in your portfolio.

Scoring:

Criteria/Scale 1–4	(1)	Poor	(2)	Fair	(3)	Good	(4)	Excellent
Effort	1	Work shows little effort	2	Some effort shown, but not enough to produce good results	3	Survey shows good effort put forth both in creating survey and in tabulating results	4	Excellent and successful effort made–survey revealed interesting facts about student use of computers
Quality of questions	1	Questions incomprehensible and/or not relevant	2	Some serious flaws in questions	3	Survey well thought out	4	Developed excellent survey
Vocabulary	1	Limited vocabulary use	2	Some attempt to use known vocabulary	3	Good use of vocabulary	4	Excellent use of vocabulary
Grammar accuracy	1	Errors prevent comprehension	2	Some grammar errors throughout	3	Good use of grammar	4	Excellent use of grammar

A = 13–16 pts. B = 10–12 pts. C = 7–9 pts. D = 4–6 pts. F = < 4 pts.

Total Score: ____________________

Comments: ____________________

____

____

____

____

Test-taking strategy: Remember to proof your answers if you finish early. But don't change an answer unless you are positive that you made a mistake.

ESCUCHAR

Tape 20 • SIDE B
CD 20 • TRACKS 18, 19

A. Luisa Martínez habla de la televisión. Después de oír lo que dice, traza un círculo alrededor de la **C** si la oración es cierta o de la **F** si la oración es falsa. **Strategy: Remember to read through the statements below before you hear the passage so you will know what to listen for.** (5 puntos)

C F **1.** Los Martínez tienen la televisión por satélite.

C F **2.** A Rita, Pepe y Nacho les gusta cambiar de canal.

C F **3.** El esposo de Luisa se llama Juan.

C F **4.** Luisa cree que ponen buenos documentales y dramas en la televisión.

C F **5.** A veces los chicos ven programas prohibidos para menores.

B. Escucha lo que Javier Calderón dice de la tecnología y luego completa las oraciones según lo que has oído. **Strategy: Remember what you have learned to say about technology.** (5 puntos)

1. Hace una semana ______________________________.

2. Siempre compro ______________________________.

3. Por eso compré ______________________________.

4. No es que yo ______________________________.

5. Es que escribo ______________________________.

LECTURA

Lee lo que dice Mari Sanz de los aparatos electrónicos y las compras. **Strategy: Remember what you have learned to say about technology.** (10 puntos)

Me llamo Mari Sanz. Saco la licenciatura en informática en la universidad este año. Aunque tengo mucho trabajo con mis seis clases necesito ganar dinero para comprar regalos para mis parientes y mi mejor amiga. Es que en este mes de diciembre no solamente se celebra la Navidad sino también es el cumpleaños de mi padre, mis hermanos Tere y Raimundo, mi abuela y Diana. Ya sé lo que les voy a comprar. Para Navidad les regalo un televisor portátil a mis padres y un teléfono inalámbrico a mis hermanos. Le regalo a mi padre una videocámara en su cumpleaños. Y a Tere le doy una grabadora en su cumpleaños y a Raimundo un beeper en el suyo. Creo que a mi abuela le gustaría recibir un teléfono celular. Y a Diana... sé que le gustarán unos juegos interactivos. Por eso trabajo en Ciberuniverso, una tienda de aparatos electrónicos. No sólo me pagan bien sino que me dan buenos descuentos.

C. **¿Comprendiste?** Según lo que leíste, marca con un círculo la **C** si la oración es cierta. Marca con un círculo la **F** si la oración es falsa. (5 puntos)

C F **1.** Mari Sanz se especializa en informática en la universidad.

C F **2.** Mari necesita comprar regalos de Navidad y cumpleaños en diciembre.

C F **3.** Mari les compra regalos a su madre y a su abuelo en su cumpleaños.

C F **4.** Mari le regalará juegos interactivos a su mejor amiga.

C F **5.** Mari trabaja en Ciberuniverso porque tienen buenas marcas.

D. **¿Qué piensas?** Answer the following question about Mari Sanz. (5 puntos)
¿Qué te parecen los regalos que Mari Sanz piensa dar?

____

____

____

____

Nombre ____________ Clase ____________ Fecha ____________

CULTURA

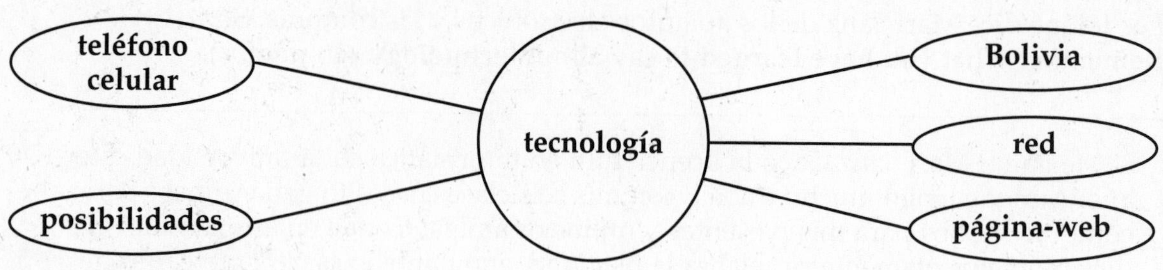

E. Contesta estas preguntas sobre el teléfono celular. (5 puntos)

1. ¿Por qué se usa cada vez más el teléfono celular en América Latina?

   ____

2. ¿Qué está pasando con los precios del teléfono celular?

   ____

3. ¿Por qué tiene tanta importancia el teléfono celular en los países andinos?

   ____

4. ¿Cómo transmite mensajes el teléfono celular?

   ____

5. ¿Qué posibilidades ofrece el teléfono celular?

   ____

F. Contesta estas preguntas sobre Bolivia en la red. (5 puntos)

1. ¿Qué puedes hacer en la página-web de Bolnet?

   ____

2. ¿Con quiénes puedes conversar en Bolnet?

   ____

3. ¿Qué puedes leer en la pantalla en Bolnet?

   ____

4. ¿Qué es Bolivianet?

   ____

5. ¿Qué significa la cita, «un viaje a Bolivia puede empezar con un viaje por el ciberespacio»?

   ____

VOCABULARIO Y GRAMÁTICA

Now you can . . .

- narrate in the past.
- talk about television.

G. Escribe la forma correcta del verbo entre paréntesis. Usa el pretérito o el imperfecto. (5 puntos)

1. Alicia ______ (ver) el programa de entrevista cuando Ramón ______ (cambiar) de canal.

2. Yo ______ (leer) la teleguía mientras tú ______ (grabar) el programa de acción.

3. Cuando nosotros ______ (ser) niños no nos ______ (gustar) los dibujos animados.

4. El domingo la teleserie ______ (empezar) a las nueve y ______ (terminar) a las diez.

5. Mientras ellos ______ (mirar) el documental, ustedes ______ (ir) al cine.

Now you can . . .

- describe unplanned events.

H. Escribe oraciones con los verbos en el pretérito, la construcción con **se** y el complemento indirecto para describir sucesos inesperados. (10 puntos)

1. a él / perderse / las pilas

______

2. a nosotros / descomponerse / el televisor portátil

______

3. a mí / olvidarse / grabar el episodio

______

4. a ti / romperse / el beeper

______

5. a ustedes / no ocurrirse / adónde ir

______

Now you can . . .

- express doubt and certainty.
- state locations.

I. Completa las oraciones usando el indicativo o el subjuntivo del verbo entre paréntesis. (5 puntos)

1. Los verás cuando (ellos) ______________ (salir) afuera.

2. No dudamos que Armando ______________ (estar) detrás de la casa.

3. Estarán contentos en cuanto nosotros ______________ (vivir) al lado de ellos.

4. Yo esperé hasta que nosotros lo ______________ (ver) enfrente del banco.

5. Es dudoso que ellas ______________ (quedarse) atrás.

Now you can . . .

- express precise relationships.
- make contrasts.

J. Escribe las preposiciones correctas. Haz contrastes usando **pero** o **sino**. (10 puntos)

1. Ellos no van ______________ cine ______________ al teatro.

2. Yo fui ______________ comprar un módem ______________ no lo compré.

3. No trates ______________ hacer clic ______________ doble clic.

4. No tienen una base ______________ datos ______________ una hoja ______________ cálculo.

5. Juan se acuerda ______________ la contraseña ______________ no está ______________ línea.

Nombre ______________________ Clase ______________ Fecha ______________

Now you can . . .

- talk about technology.
- navigate cyberspace.
- compare and evaluate.

K. Compara el contenido de los dibujos. (5 puntos)

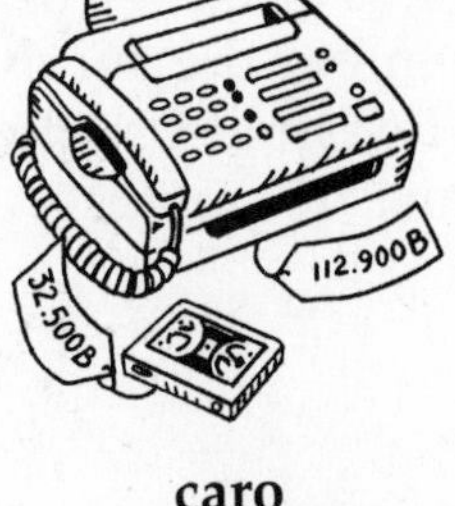

caro

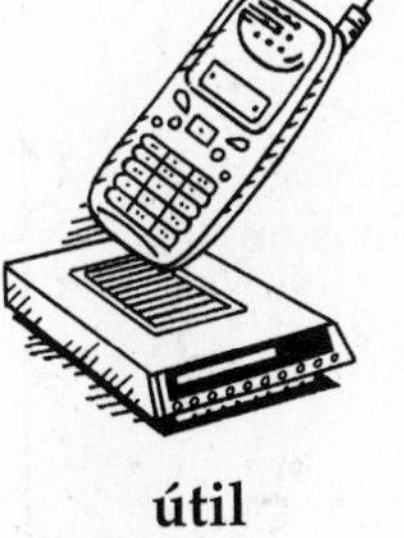

útil

importante

grande

divertidos

1. ______________________________
2. ______________________________
3. ______________________________
4. ______________________________
5. ______________________________

Now you can . . .

- report what others say.

L. Completa las oraciones usando el indicativo o subjuntivo. (5 puntos)

1. No (navegar) ______________ tanto tiempo por Internet.
2. Hubiera preferido que tú (comprar) ______________ una computadora portátil.
3. Quiero que (cambiar) ______________ tú el canal.
4. Te pedí que no (ver) ______________ el programa de ciencia ficción.
5. Pido que (enviar) ______________ tú mensajes por correo electrónico.

Nombre ______ Clase ______ Fecha ______

ESCRITURA

Now you can . . .

- talk about technology and television.

M. Escribe sobre los aparatos electrónicos que tú y tu familia tienen. **Strategy: Remember the vocabulary you have learned for technology and television. Use the table below to organize your thoughts.** (15 puntos)

- aparato
- marca
- cómo funciona

Aparato	Marca	Cómo funciona

Writing Criteria	Scale	Writing Criteria	Scale	Writing Criteria	Scale
Vocabulary Usage	1 2 3 4 5	Accuracy	1 2 3 4 5	Organization	1 2 3 4 5

Nombre ______ Clase ______ Fecha ______

HABLAR

Now you can . . .

- navigate cyberspace.

N. Haz estas actividades con tu profesor(a) o con un compañero(a). **Strategy: Remember to use a table like the one below to help you organize your thoughts about navigating cyberspace.** (15 puntos)

Parte 1 Describe los siguientes elementos del ciberespacio:

- la página-web
- el grupo de conversación
- la red mundial
- el servicio de búsqueda
- el buzón electrónico

En el ciberespacio	Descripción
la página-web	
el servicio de búsqueda	
el grupo de conversación	
el buzón electrónico	
la red mundial	

Now you can . . .

- talk about television.

Parte 2 Habla con tu profesor(a) o un compañero(a) acerca de los siguientes temas:

- ¿Cuáles son tus programas favoritos en la televisión?
- ¿Qué programa miras todos los días?
- ¿A qué horas del día miras la televisión?
- ¿Cuántas horas al día miras la televisión durante la semana? ¿Los fines de semana?

Speaking Criteria	Scale
Vocabulary Usage	1 2 3 4 5

Speaking Criteria	Scale
Accuracy	1 2 3 4 5

Speaking Criteria	Scale
Organization	1 2 3 4 5

Nombre ______ Clase ______ Fecha ______

Test-taking strategy: Remember to proof your answers if you finish early. But don't change an answer unless you are positive that you made a mistake.

ESCUCHAR

Tape 20 • SIDE B
CD 20 • TRACKS 20, 21

A. Escucha lo que dice Silvina González de la televisión y completa las oraciones siguientes según lo que has oído. **Strategy: Remember what you've learned about television.** (5 puntos)

1. El problema de Silvina con la televisión comenzó cuando ______
2. A los chicos les gusta tomar el control remoto y ______
3. Silvina y su esposo no quieren que los chicos ______
4. En familia los González ven ______
5. Silvina va a tener que imponerse y ______

B. Escucha lo que dice Ignacio Sotelo de su trabajo y contesta las preguntas siguientes. **Strategy: Remember the vocabulary you have learned to talk about different types of high-tech appliances. Read through the questions first so that you will know what to listen for.** (10 puntos)

1. ¿En qué trabaja Ignacio Sotelo? ______
2. ¿Sobre qué escribe? ______
3. ¿Por qué tiene Ignacio tantos aparatos? ______
4. ¿Sus hijos lo ayudan o lo molestan? ______
5. ¿Qué tiene muchas ganas de hacer su hijo mayor? ______

Unidad 6
Prueba comprensiva para hispanohablantes

LECTURA

Lee lo que dice Lucía Tineo de su trabajo. **Strategy: Remember what you have learned to say about technology.** (10 puntos)

Me llamo Lucía Tineo y vivo en Caracas, Venezuela. Saqué la licenciatura en informática en la universidad hace un año. Busqué empleo, pero no me interesaban los empleos que había. Entonces, decidí montar una empresa. Compré una computadora personal muy potente y desde mi casa ofrezco servicios de programación, creación de páginas-web y creación de sitios en la red para empresas que quieren vender por Internet. El negocio ha sido bueno y muchos hombres y mujeres de negocios cuentan conmigo para tener acceso al ciberespacio. El mes pasado tuve que comprar otra computadora y contratar a alguien para ayudarme. Una compañera de estudios, Lidia Lares, pensaba dejar su puesto y cuando le dije que a mí me hacía falta una asistente, decidió venir a trabajar conmigo. No sé si voy a poder seguir trabajando en casa, sin embargo. Acabamos de firmar tres contratos importantes y es muy posible que yo tenga que buscar a una tercera persona. ¡Las tres no cabremos en mi apartamento!

C. ¿Comprendiste? Según lo que leíste, marca con un círculo la **C** si la oración es cierta. Marca con un círculo la **F** si la oración es falsa. (5 puntos)

C F **1.** Lucía Tineo ha montado una empresa en su casa.

C F **2.** Lo malo es que no conoce Internet.

C F **3.** Sus clientes son gente de negocios.

C F **4.** No ha podido ofrecerle trabajo a su amiga Lidia Lares.

C F **5.** Lucía ya no quiere seguir trabajando en casa porque quiere buscar un empleo.

D. ¿Qué piensas? Contesta las siguientas preguntas. (5 puntos)
¿Qué te parece el trabajo de Lucía Tineo? ¿A ti te interesaría trabajar? ¿Por qué (no)?

______

______

______

______

Nombre ____________ Clase ____________ Fecha ____________

CULTURA

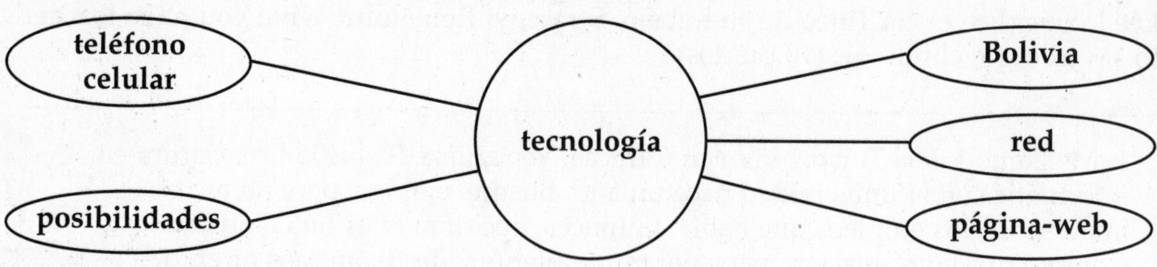

E. Contesta estas preguntas sobre el teléfono celular. (5 puntos)

1. ¿Por qué se usa cada vez más el teléfono celular en América Latina?

____

2. ¿Qué está pasando con los precios del teléfono celular?

____

3. ¿Por qué tiene tanta importancia el teléfono celular en los países andinos?

____

4. ¿Cómo transmite mensajes el teléfono celular?

____

5. ¿Qué posibilidades ofrece el teléfono celular?

____

F. Contesta estas preguntas sobre Bolivia en la red. (5 puntos)

1. ¿Qué puedes hacer en la página-web de Bolnet? ____________

____

2. ¿Con quiénes puedes conversar en Bolnet? ____________

____

3. ¿Qué puedes leer en la pantalla en Bolnet? ____________

____

4. ¿Qué es Bolivianet? ____________

____

5. ¿Qué significa «un viaje a Bolivia puede empezar con un viaje por el ciberespacio»?

____

Unidad 6
Prueba comprensiva para hispanohablantes

Nombre ____________________ Clase ____________________ Fecha ____________________

VOCABULARIO Y GRAMÁTICA

Now you can . . .

- narrate in the past.
- talk about television.

G. Escribe estas oraciones en el pasado. Usa el pretérito o el imperfecto para cada uno de los verbos. (5 puntos)

1. Alicia mira el programa de entrevista cuando Ramón cambia de canal.

____

2. Yo leo la teleguía mientras tú grabas el programa de acción.

____

3. Marta camina y Juan corre.

____

4. El domingo la teleserie empieza a las nueve y termina a las diez.

____

5. Mientras ellos miran el documental, ustedes salen al cine.

____

Now you can . . .

- describe unplanned events.

H. Escribe oraciones con los verbos en el pretérito, la construcción con **se** y el complemento indirecto para describir sucesos inesperados. (10 puntos)

1. ¿Juan no trajo las pilas? (perderse)

____

2. ¿Ustedes no encendieron el televisor? (descomponerse)

____

3. ¿No grabaste el episodio? (olvidarse)

____

4. ¿Por qué no usas tu beeper? (romperse)

____

5. ¿Ustedes no tienen más leche? (acabarse)

____

Nombre ______________________ Clase ______________ Fecha ______________

Now you can . . .

- express doubt and certainty.
- state locations.

I. Completa las oraciones usando el indicativo o el subjuntivo del verbo entre paréntesis. (5 puntos)

1. Los verás cuando (ellos) ______________ (salir) afuera.
2. No dudamos que Armando ______________ (estar) detrás de la casa.
3. Estarán contentos en cuanto nosotros ______________ (vivir) al lado de ellos.
4. Yo esperé hasta que nosotros los ______________ (ver) enfrente del banco.
5. Es dudoso que ellas ______________ (quedarse) atrás.

Now you can . . .

- express precise relationships.
- make contrasts.

J. Escribe las preposiciones correctas. Haz contrastes usando **pero** o **sino**. (10 puntos)

1. Ellos no van ______________ cine ______________ al teatro.
2. Yo fui ______________ comprar un módem ______________ no lo compré.
3. No trates ______________ hacer clic ______________ doble clic.
4. No tienen una base ______________ datos ______________ una hoja ______________ cálculo.
5. Juan se acuerda ______________ la contraseña ______________ no está ______________ línea.

Unidad 6
Prueba comprensiva para hispanohablantes

Nombre ______________________ Clase ______________ Fecha ______________

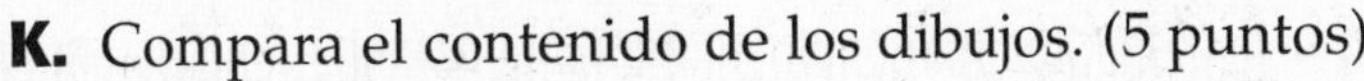

Now you can . . .

- talk about technology.
- navigate cyberspace.
- compare and evaluate.

K. Compara el contenido de los dibujos. (5 puntos)

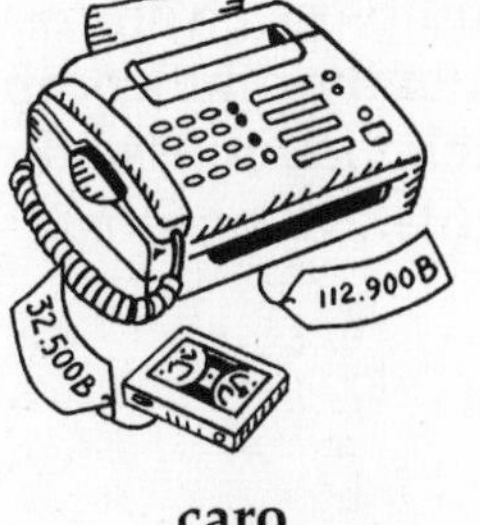

caro

útil

importante

grande

divertidos

1. ____
2. ____
3. ____
4. ____
5. ____

Now you can . . .

- report what others say.

L. Completa las oraciones usando el indicativo o subjuntivo del verbo entre paréntesis. (5 puntos)

1. Te he dicho que no (navegar) ______________ tanto tiempo por Internet.
2. Hubiera preferido que tú (comprar) ______________ una computadora portátil.
3. Quiero que (cambiar) ______________ tú el canal.
4. Te pedí que no (ver) ______________ el programa de ciencia ficción.
5. Pido que (enviar) ______________ tú mensajes por correo electrónico.

Nombre ______________________ Clase ____________ Fecha ____________

ESCRITURA

Now you can . . .

- talk about technology and television.

M. Escribe sobre los aparatos electrónicos que tú y tu familia tienen. **Strategy: Remember the vocabulary you have learned for technology and television. Use the table below to organize your thoughts.** (15 puntos)

- aparato
- marca
- cómo funciona

Aparato	Marca	Cómo funciona

Writing Criteria	Scale
Vocabulary Usage	1 2 3 4 5

Writing Criteria	Scale
Accuracy	1 2 3 4 5

Writing Criteria	Scale
Organization	1 2 3 4 5

HABLAR

Now you can . . .

- navigate cyberspace.

N. Haz estas actividades con tu profesor(a) o un compañero(a). **Strategy: Remember to use a table like the one below to help you organize your thoughts about navigating cyberspace.** (15 puntos)

Parte 1 Describe los siguientes elementos del ciberespacio:

- la página-web
- el grupo de conversación
- la red mundial
- el servicio de búsqueda
- el buzón electrónico

En el ciberespacio	Descripción
la página-web	
el servicio de búsqueda	
el grupo de conversación	
el buzón electrónico	
la red mundial	

Now you can . . .

- talk about television.

Parte 2 Habla con tu profesor(a) o compañero(a) acerca de los siguientes temas:

- ¿Cuáles son tus programas favoritos en la televisión?
- ¿Qué programa miras todos los días?
- ¿A qué horas del día miras la televisión?
- ¿Cuántas horas al día miras la televisión durante la semana? ¿Los fines de semana?

Speaking Criteria	Scale
Vocabulary Usage	1 2 3 4 5

Speaking Criteria	Scale
Accuracy	1 2 3 4 5

Speaking Criteria	Scale
Organization	1 2 3 4 5

Nombre ______________________ Clase ______________ Fecha ______________

VOCABULARIO

Indica cuál de las posibilidades completa mejor la oración.

1. No quiero ver este programa, Carlos. Insisto en que ______.

a. manipules la videocasetera

b. cambies de canal

c. lo grabes para mí

d. lo controles

2. Todas las emisoras quedan muy lejos de aquí. Por eso, tenemos ______.

a. un control remoto

b. la televisión por cable

c. índice de audiencia

d. muchos canales

3. Las noticias se transmiten desde el lugar donde hubo el terremoto. Es un reportaje ______.

a. manipulado

b. entretenido

c. prohibido para menores

d. en vivo y directo

4. Si quieres saber lo que hay en la tele, lee ______.

a. el documental

b. la teleserie

c. la tele-guía

d. la reacción crítica

5. Mauro Ruiz es un hombre fuerte. Trabaja protegiendo al presidente del país. Es ______.

a. sensacionalista

b. cineasta

c. guardaespaldas

d. público

6. ¡Ay, Margarita! Siempre sabes todo lo que te preguntamos. Te deben invitar a ______.

a. un programa de concurso

b. un programa de ciencia ficción

c. los dibujos animados

d. un programa de misterio

7. Con la videocasetera puedes ______ programas.

a. recibir

b. controlar

c. manipular

d. grabar

GRAMÁTICA

Indica cuál de las posibilidades completa mejor la oración.

8. Salí de casa. Cuando vi que ______, ______ a buscar el paraguas.

a. llovió/volvía

b. había llovido/volví

c. llovía/volví

d. llovía/volvía

9. —¿Cuándo ______ lo de la nueva antena parabólica?

—Juana me lo dijo ayer.

a. sabes

b. supieras

c. sabías

d. supiste

10. ______ las seis de la tarde cuando mamá ______ la mesa para que pudiéramos cenar.

a. Eran/pusiera

b. Fueron/ponía

c. Eran/puso

d. Eran/ha puesto

11. Paquito cambió de canal después que le ______ el control remoto.

a. diera

b. di

c. daré

d. dé

12. —¿Por qué no saliste?
—Mamá me dijo que ______ en casa.

a. me quedé

b. me quedara

c. me hubiera quedado

d. me había quedado

13. ¡Rosita! Te he dicho que ______ la tele. ¡Apágala!

a. apagaras

b. apagues

c. has apagado

d. apagas

14. ¡Cuánto he trabajado hoy! Te digo que no ______ trabajar ni un minuto más.

a. puedo

b. pueda

c. pudiera

d. haya podido

CULTURA

Indica cuál de las posibilidades completa mejor la oración.

15. Un tipo de ficción muy popular en la televisión de Latinoamérica son ______.

a. las telenovelas

b. los cuentos

c. los documentales

d. los noticieros

16. Frases como *apto para menores* forman parte ______.

a. del índice de audiencia

b. de la reacción crítica

c. del teledrama

d. de la discreción

17. Cuando un latinoamericano dice *Te invito a tomar un refresco,* quiere decir que él ______.

a. se va pronto

b. quiere que lo invites

c. va a pagar

d. tiene hambre

Nombre ______________________ Clase ______________ Fecha ______________

LECTURA

Lee la siguiente narración y completa las oraciones escogiendo la respuesta correcta.

Me llamo Armando Figueroa, y tengo dos hermanitos menores, Pablo y Pedro, gemelos, de ocho años. A pesar de ser gemelos, nunca se ponen de acuerdo sobre lo que van a ver en la televisión. Todos los días se pelean por el control remoto. Gritan y se dicen cosas horribles. «¡Tonto!», dice uno, «hoy me toca a mí ver el partido de béisbol.» «¿Qué dices?», dice el otro, «viste tu partido ayer. Hoy me toca a mí ver el documental sobre los monos.» Mamá, frustrada, les dice, «¡Si no se portan bien voy a echar ese televisor a la basura!» A veces no puedo hacer mi tarea por el ruido de la discusión. Pero papá encontró una solución. Ayer trajo otro televisor. Creo que por ahora ha terminado la guerra.

18. Los hermanos de Armando Figueroa ______.

a. se interesan en los monos

b. sólo quieren ver deportes en la tele

c. discutían mucho por el programa de tele

d. se ponen de acuerdo sobre lo que van a ver

19. La mamá estaba tan frustrada que ______.

a. quería echar el televisor a la basura

b. tiró el televisor a la basura

c. insistió en que pusieran el programa que a ella le gusta

d. hace mucho ruido en la discusión

20. El papá resolvió el problema de las discusiones de Pedro y Pablo ______.

a. echándolos de la casa

b. comprando otro televisor

c. empezando una guerra con los chicos

d. diciéndole a la mamá que no se enoje

Nombre ______ Clase ______ Fecha ______

VOCABULARIO

Indica cuál de las posibilidades completa mejor la oración.

1. Si quieres escuchar música sin molestar a los demás, ponte ______.
   - **a.** los audífonos
   - **b.** los asistentes electrónicos
   - **c.** el radio portátil
   - **d.** las ventajas
2. Se me han apagado las luces de la contestadora automática. Creo que debo comprar ______.
   - **a.** un identificador de llamadas
   - **b.** telemensajes
   - **c.** pilas
   - **d.** garantías
3. La durabilidad de este aparato debe ser buena. Te dan ______ de tres años.
   - **a.** una rebaja
   - **b.** una garantía
   - **c.** una nitidez
   - **d.** una cuenta
4. Lucía puede hablar por teléfono y caminar por su casa porque se ha comprado ______.
   - **a.** una batería
   - **b.** un control remoto
   - **c.** un telemensaje
   - **d.** un teléfono inalámbrico
5. Cuando compro aparatos electrónicos miro ______. Para mí, un producto fabricado por una casa famosa tiene confiabilidad.
   - **a.** el altoparlante
   - **b.** la dependiente
   - **c.** la marca
   - **d.** la durabilidad
6. Vamos a Telemundo. Han bajado los precios. Todo está ______.
   - **a.** en cuenta
   - **b.** en oferta
   - **c.** roto
   - **d.** respaldado
7. ¿Quieres comprar otra computadora para tu cuarto? ¿Cómo se te ______ tal cosa?
   - **a.** ocurre
   - **b.** acaba
   - **c.** pierde
   - **d.** cae

GRAMÁTICA

Indica cuál de las posibilidades completa mejor la oración.

8. Avísame ______ llegues. Llámame en seguida.
   - **a.** tan pronto como
   - **b.** para que
   - **c.** sin que
   - **d.** a menos que

Unidad 6 Etapa 2

Multiple Choice Test Items

9. Vamos al almacén ______ ustedes se compren un televisor para su nuevo apartamento.

a. a menos que

b. para que

c. aunque

d. hasta que

10. Juanito, ¿por qué has dejado entrar al perro en la sala? Él tiene que quedarse ______ la casa.

a. lejos de

b. al lado de

c. fuera de

d. antes de

11. Pasen a la mesa, por favor. Señor Enríquez, siéntese ______ la señorita Páez, por favor.

a. aguera

b. fuera de

c. detrás de

d. al lado de

12. No quiero un teléfono portátil, ______ uno celular.

a. sino también

b. sino que

c. pero

d. sino

13. Marisa, no corras. ______ los vasos.

a. Se me van a caer

b. Se te cayeron

c. Se te van a caer

d. Se les van a caer

14. —Mamá, no hay leche en la nevera.
—Sí, ______. Ve a la tienda a comprar más.

a. se nos acabará.

b. se nos acabó.

c. se le acabó.

d. se les acabó.

CULTURA

Indica cuál de las posibilidades completa mejor la oración.

15. Un tipo de programa de televisión más popular en Latinoamérica que en Estados Unidos es ______.

a. los programas de concursos

b. las noticias

c. los premios

d. los documentales

16. En Latinoamérica la expansión del servicio telefónico ha sido difícil a causa ______.

a. de las ondas

b. del terreno

c. de las ventajas

d. de los usuarios

17. ______ es una solución al problema de comunicaciones de Latinoamérica.

a. La batería

b. El teléfono celular

c. La confiabilidad

d. El identificador de llamadas

LECTURA

Lee la siguiente narración y completa las oraciones escogiendo la respuesta correcta.

Me llamo Yolanda Escobar y soy de Caracas. La Navidad se va acercando y tengo que comprar regalos para todos mis familiares. Pienso que esta Navidad va a ser electrónica. Voy al almacén Electrofuturo porque hoy tienen ofertas y rebajas. Creo que a papá le voy a comprar una radio portátil. Trabaja mucho en el jardín y le gusta escuchar música. Así, se podrá llevar la radio mientras cuida sus plantas y flores. Se me ocurre que el mejor regalo para mamá sería un teléfono celular. Viaja mucho por sus negocios, y muchas veces está en zonas remotas donde no podemos ponernos en contacto con ella. Si tuviera un teléfono celular, podríamos llamarla dondequiera. A mi hermana menor le voy a comprar un Walkman. Se le descompuso el que tenía. A ver si le compro uno con más durabilidad, aunque con mi hermana, no hay garantía que valga.

18. Yolanda Escobar va al almacén Electrofuturo ______.

a. para devolver un aparato que se le descompuso

b. para comprar regalos de Navidad

c. porque no le gusta la electrónica

d. porque no hay rebajas hoy

19. Es una buena idea comprarle un teléfono celular a la madre de Yolanda porque ______.

a. nunca se le ocurre llamar

b. está siempre en casa hablando por teléfono

c. le gusta oír música

d. ella viaja mucho por regiones donde no hay servicio telefónico

20. Cuando Yolanda dice «con mi hermana, no hay garantía que valga», quiere decir que ______.

a. a su hermana se le descompone todo

b. su hermana es un modelo de confiabilidad

c. su hermana sólo acepta regalos con garantía

d. su hermana insiste en comprar productos de calidad

Nombre ______________________ Clase ______________ Fecha ______________

VOCABULARIO

Indica cuál de las posibilidades completa mejor la oración.

1. Mande usted el mensaje al ______ electrónico del director.

a. teclado

b. programa

c. buzón

d. tamaño

2. ¿Cómo voy a escribir este informe? Se me han descompuesto dos ______ del teclado.

a. líneas

b. tarjetas

c. teclas

d. íconos

3. En los negocios es indispensable seguir las entradas y salidas de dinero con ______.

a. una hoja de cálculo

b. el correo electrónico

c. un microprocesador

d. el disco duro

4. Hoy hemos visto más de quince sitios sobre Latinoamérica mientras navegábamos por ______.

a. la tarjeta de sonido

b. el grupo de conversación

c. el servicio de búsqueda

d. la red mundial

5. Toda la información que hay sobre esta compañía está en ______.

a. esta base de datos

b. este fax

c. esta memoria

d. esta configuración

6. Para proteger tu acceso a los servicios de Internet, nunca debes decirle a nadie cuál es tu ______.

a. computadora

b. contraseña

c. módem

d. dirección electrónica

7. Para ver las noticias de hoy, hay que ______ en el ícono.

a. conectarse

b. hacer clic

c. localizar

d. dibujar

GRAMÁTICA

Indica cuál de las posibilidades completa mejor la oración.

8. Esta computadora es tan cara ______ aquélla.

a. en

b. de

c. que

d. como

9. Me parece que este sitio sobre Venezuela es ______ interesante de todos.

a. más

b. tanto

c. los más

d. el más

10. El almacén está ______ un kilómetro de aquí.

a. por

b. de

c. a

d. en

11. Abren el almacén ______ las diez de la mañana.

a. a

b. en

c. son

d. dentro

12. Los chicos enseñaron a sus padres ______ navegar por Internet.

a. sin

b. a

c. de

d. para

13. Lo siento mucho. Me olvidé ______ llamarte.

a. con

b. de

c. según

d. a

14. Trato ______ contestar mi correo electrónico todos los días.

a. para

b. a

c. en

d. de

CULTURA

Indica cuál de las posibilidades completa mejor la oración.

15. En Latinoamérica hay computadoras personales ______.

a. en las escuelas secundarias y primarias

b. sólo en ministerios de gobierno

c. en muy pocos lugares

d. en las escuelas de computación solamente

16. Las palabras bocina y altavoz son sinónimos de ______.

a. micrófono

b. equipo estereofónico

c. altoparlantes

d. tarjeta de sonido

17. La guía de correo electrónico es ______.

a. una lista de enlaces de páginas personales

b. una revista para consumidores

c. una lista de direcciones electrónicas

d. un servicio de búsqueda por Internet

Nombre ______________________ Clase ______________ Fecha ______________

LECTURA

Lee la siguiente narración y completa las oraciones escogiendo la respuesta correcta.

Hoy he tenido un día horrible por los problemas que he tenido con la computadora. Primero, estaba buscando un sitio que me recomendaron para mi trabajo. Escribé varias veces el LUR, pero sin resultado. Traté de encontrar el sitio con el servicio de búsqueda, pero venía el mensaje diciendo que el sitio estaba desconectado. Después, estaba escribiendo datos en la hoja de cálculo cuando de repente pasó algo, y se me descompuso la computadora. Perdí más de una hora de trabajo y tengo que llevar la computadora al taller para que me la reparen. ¿Y qué voy a hacer si tengo que estar una semana sin computadora? ¡Ir a un cibercafé y pagar por hora por el uso de una máquina!

18. Este usuario no ha tenido un buen día ______.

a. por lo que le sirvieron en el cibercafé

b. por los problemas de la computadora

c. porque no funcionó su programa anti-virus

d. porque no tiene servicio de búsqueda

19. No pudo encontrar la página-web que necesitaba porque ______.

a. no se conectó

b. se apagó su monitor

c. no tenía acceso a la red mundial

d. el LUR no funcionaba

20. ______ porque se le descompuso la computadora.

a. Perdió muchos datos

b. Tomó algo en el cibercafé

c. Reparó su máquina

d. Se alegró mucho

ESCUCHAR

Tape 20 • SIDE B
CD 20 • TRACK 22

Escucha lo que dice Isabel Domínguez de la oportunidad que consiguió y después indica cuál de las respuestas completa mejor las oraciones. **Strategy: Remember to review the questions before listening and to use the process of elimination before selecting an answer.** (10 puntos)

1. Isabel Domínguez ______.

a. se graduará en junio

b. estudió en Ecuador

c. compró hardware

d. buscó diseños en la red

2. Jaime ayudó a Isabel y a Teresita ______.

a. a hacer un diseño indígena

b. a imprimir con el impresor a colores

c. a hacer un banco de datos

d. a hacer una gráfica con un software especial

3. Los padres le pidieron a Isabel que ______.

a. viera cómo se hacían los tejidos en México

b. hiciera un viaje a la oficina de Madrid

c. visitara las fábricas de Ecuador

d. aprendiera español en Buenos Aires

4. Sus padres le dijeron a Isabel que ______.

a. la iban a mandar a la Ciudad de México

b. fuera a Madrid inmediatamente

c. tenía que pasar por lo menos dos años en California

d. estudiara los diseños mayas en Chiapas

5. Isabel quería hablar ______.

a. con los que hacen páginas-web

b. con varias líderes de las tejedoras

c. con los que les pagaron el viaje.

d. con su hermano Jaime

LECTURA

Lee lo que dice Roberto Arriaga de la producción artística y literaria de su familia y después indica cuál de las respuestas completa mejor las oraciones. (10 puntos)

Me llamo Roberto Arriaga. En mi familia todos nos dedicamos a las artes. Yo soy pintor. Pinto paisajes de Caracas y Aruba, donde nací. Vivo con mi esposa en esa gran ciudad andaluza, Sevilla. Mi esposa, Pilar, es bailaora de flamenco. Interpreta flamenco por toda Europa, Estados Unidos y Latinoamérica. Viajo con ella cuando mi trabajo me lo permite. Mi hermano Esteban, que vive en Madrid, es director de cine. Es uno de los grandes cineastas del cine español y también ha hecho películas en Hollywood. Nuestros hijos también tienen talento artístico. Daniel escribe novelas y guiones. Nuestra hija Emilia ha escrito tres colecciones de poemas y ella misma ha traducido sus poemas al inglés y al francés.

6. Roberto Arriaga ______.

a. es pintor

b. pinta naturalezas muertas

c. vive en Castilla

d. pinta cuando viaja con su esposa

7. Pilar Arriaga ______.

a. tiene exposiciones de pintura

b. baila flamenco en varios países

c. es directora de cine

d. estudia danza

8. El hermano de Roberto ______.

a. toca el violín en Madrid

b. espera trabajar en Hollywood

c. es un gran cineasta español

d. es esposo de Pilar

9. Daniel ______ y Emilia ______.

a. está escribiendo un guión, está escribiendo un cuento

b. traduce novelas, escribe guiones de película

c. ha escrito seis novelas, ha escrito cinco colecciones de poemas

d. es novelista, es poeta

10. La familia de Roberto Arriaga ______.

a. vive en Madrid

b. trabaja en las artes

c. nunca viaja al extranjero

d. no se interesa en la literatura

CULTURA

Indica cuál de las posibilidades completa mejor estas oraciones. (10 puntos)

11. Los aztecas hablaban ______.

a. maya-quiché

b. miskito

c. quechua

d. náhuatl

12. *La caza,* dirigida por ______, salió del nuevo cine español.

a. Luis Barragán

b. Fina Torres

c. Carlos Saura

d. Ricardo Legorreta

13. Muchas películas de ______ son de comentario social y político.

a. María Luisa Bemberg

b. Gabriel García Márquez

c. Isabel Allende

d. Ana María Matute

14. Actualmente ______ es un aparato muy importante en los países andinos.

a. la contestadora automática

b. la grabadora

c. el teléfono celular

d. el identificador de llamadas

15. El castellano, el gallego, el catalán y ______ se hablan en España.

a. el taíno

b. el vascuence

c. el miskito

d. el guaraní

Nombre ______________________ Clase ______________ Fecha ______________

VOCABULARIO Y GRAMÁTICA

Indica cuál de las posibilidades completa mejor estas oraciones. (50 puntos)

16. ¿Cómo? ¿Vas a dejar el fuego sin apagar? Eso no ______.

a. se pone

b. se dice

c. se hace

d. se apaga

17. —¿Cuándo quieres que te ______ la fecha del examen?
—En cuanto la ______.

a. digo/sabes

b. dijera/supiera

c. diría/sabría

d. diga/sepas

18. Si me ______, yo habría venido con ustedes.

a. hubieran llamado

b. llamaran

c. llaman

d. llamen

19. —¿Por qué me recuerdas tantas veces de comprar los refrescos?
—No quiero que ______.

a. me olvide

b. se te olvide

c. los olvidas

d. se me olvide

20. No comprendo por qué un niño ______ tres años está todavía despierto ______ las diez y media.

a. con/son

b. de/a

c. en/en

d. tiene/son

21. —¿Todavía buscas trabajo?
—Sí, ______.

a. sigo buscándolo

b. acabo de encontrarlo

c. estoy trabajando

d. empezaré a buscarlo

Unidades 4–6 Final Exam

22. —¿Qué hacían a las diez de la mañana?
—______ navegando por Internet.

a. Estarían

b. Estén

c. Estaban

d. Están

23. Esperábamos que le ______ más beneficios.

a. hayan dado

b. hubieran dado

c. han dado

d. habían dado

24. Si ______ el viaje, ______ muchas cosas impresionantes.

a. has hecho, habrías visto

b. habrías hecho, hubieras visto

c. habías hecho, habías visto

d. hubieras hecho, habrías visto

25. —Felipe no puede encontrar su cartera.
—Se le ______.

a. perdería

b. hubiera perdido

c. habrá perdido

d. perdiera

26. ¿______ es la bolsa de valores?

a. Qué

b. Dónde

c. Cuándo

d. Cuáles

27. El amigo ______ te hablé estudia mercadeo.

a. cual

b. de quien

c. con que

d. a quien

28. Conozco al pintor ______ paisajes te gustan tanto.

a. cuyo

b. los cuales

c. los que

d. cuyos

29. El laboratorio tenía los datos sin ______ no podíamos comparar las estadísticas.

a. quienes

b. cuyos

c. los cuales

d. las que

30. ______ me explicaste sobre la red mundial me ayudó muchísimo.

a. Los que

b. Los cuales

c. Lo que

d. Cuyo

31. —¿Te gusta este módem?
—Sí, pero ______ usa Bernardo funciona mejor.

a. el cual

b. lo de

c. la de

d. el que

32. —Me alegro de que ______ la videocámara.
—¿No te dije que no la ______?

a. hayas devuelto, he devuelto

b. hubieras devuelto, devolvieras

c. devuelvas, habré devuelto

d. devolviera, había devuelto

33. Mis padres preferirían que yo ______ informática.

a. hubiera estudiado

b. había estudiado

c. he estudiado

d. haya estudiado

34. No necesitas otra marca de computadora ______ más memoria.

a. la de

b. sino

c. pero

d. no sólo

35. A Timoteo ______ traer mis libros.

a. se me olvidó

b. se le olvidó

c. se le olvidaron

d. se les olvidó

36. Trata ______ acordarte ______ tu contraseña.

a. a, en

b. con, de

c. de, de

d. de, en

37. Es necesario que hagas doble clic en ______ del programa.

a. la pila

b. el tejido

c. el cobre

d. el ícono

38. —Su monitor no funcionaba.
—Pero dudábamos que ______.

a. se le hubiera descompuesto

b. se hubiera equivocado

c. se hubiera conectado

d. lo hubiera tomado en cuenta

39. —El señor Mora tiene setenta y dos años.
—Por eso ______ en junio.

a. se superó

b. se jubiló

c. desempeñó un cargo

d. abrió el paso

40. Lorenzo se graduó con ______ en ______.

a. una perspectiva, autorretrato

b. la maestría, informática

c. un repertorio, bufetes

d. la licenciatura, primer plano

Unidades 4–6 Final Exam

ESCRITURA

Escribe un párrafo en una hoja aparte sobre las profesiones. (15 puntos)

Profesión	Descripción	Ventajas/Desventajas
contador		
técnico		
bombero		
jardinero		
artesano		

1. ¿Qué hace un(a) contador(a)? ¿Qué tiene que saber?
2. ¿En qué campo trabajan los técnicos? ¿Cómo pasan el día?
3. ¿Corren riesgo los bomberos? ¿Por qué?
4. ¿Dónde trabajan los jardineros? ¿Qué hacen?
5. Los artesanos hacen tejidos, tallados, bordados, ¿y qué más? ¿Cómo los hacen?

Writing Criteria	Scale
Vocabulary Usage	1 2 3 4 5

Writing Criteria	Scale
Accuracy	1 2 3 4 5

Writing Criteria	Scale
Organization	1 2 3 4 5

HABLAR

Contesta las preguntas sobre los programas de televisión. Usa la tabla. (15 puntos)

programa de misterio
programa de acción
teledrama
teleserie
programa de entrevista

1. ¿Cómo se llama el programa de misterio que más te gusta?
2. ¿Cuál es tu personaje preferido de la televisión? ¿Por qué?
3. Nombra alguna teleserie que ves. ¿Cómo es?
4. Nombra el anfitrión o la anfitriona de algún programa de entrevista. ¿De qué habla?
5. ¿Cómo se titula el teledrama que más te ha gustado? ¿Cuándo lo pasan?

Speaking Criteria	Scale
Vocabulary Usage	1 2 3 4 5

Speaking Criteria	Scale
Accuracy	1 2 3 4 5

Speaking Criteria	Scale
Organization	1 2 3 4 5

ENTREVISTA

Antes de ver la sección *Entrevista con Ximena Barros,* lee las actividades para familiarizarte con la información que necesitas para hacer las actividades.

A. ¿Cierto o falso?

Si la oración es cierta, marca con un círculo la **C**. Si la oración es falsa, marca con un círculo la **F**.

C F **1.** Ximena tiene 28 años.

C F **2.** Vive en Cuenca, Ecuador.

C F **3.** Es muy común que en las casas de Ecuador se encuentren las computadoras.

C F **4.** Estudia en la Universidad Politécnica Salesiana.

C F **5.** Estudia gerencia y recursos humanos, entre otras materias.

B. ¿Qué dijo?

Rellena los espacios en blanco.

Ahora es muy _______________ que las personas _______________ acceder la información con la mayor _______________ posible porque el mundo se desarrolla tan rápido que es preciso que _______________ esa información.

C. Según Ximena

Contesta las siguientes preguntas.

1. Ximena menciona cuatro tipos de comunicación electrónica que ella utiliza. ¿Cuáles son?

____

2. ¿Por qué dice Ximena que la tecnología es positiva en el Ecuador?

____

____

3. ¿Cuál es el aspecto negativo de la tecnología?

____

4. ¿Cuál es el aspecto que le gusta más a Ximena?

____

Nombre ______________ Clase ______________ Fecha ______________

EN COLORES: DEL TELÉGRAFO A INTERNET: COLOMBIA

Antes de mirar la sección **En colores**, lee las siguientes preguntas para familiarizarte con los datos que tienes que buscar. Después contesta las preguntas.

D. ¿Cierto o falso?

Marca con un círculo la **C** si la oración es cierta. Marca con un círculo la **F** si la oración es falsa.

C F **1.** Catalina tiene amigos en Estados Unidos y en Chile.

C F **2.** El telégrafo llegó a Colombia hace 128 años.

C F **3.** Antonio Ochoa es ingeniero de sistemas.

C F **4.** Catalina habla de Web Personals.

C F **5.** Ella se casó con un hombre que conoció por Internet.

E. ¿Quién lo dijo?

Empareja a cada persona con su cita.

a. Octavio Barrera **b.** Fernando Cure **c.** Antonio Ochoa
d. Catalina Jiménez **e.** Carlos Julián Toloza **f.** Juan Carlos M.

______ **1.** Después de esto pasamos a un sistema télex.

______ **2.** ...primero, lo utilizaron los Ferrocarriles de Colombia.

______ **3.** Ahí tú dejas un mensaje y la gente te escribe.

______ **4.** Después de que hablé con mis amigos fue que me empezó a interesar.

F. En búsqueda de la verdad

Marca con un círculo la **C** si la oración es cierta. Marca con un círculo la **F** si la oración es falsa. Corrige las oraciones falsas.

C F **1.** El sistema télex no requería tanto entrenamiento como el Morse. ________

C F **2.** Los profesores de Ochoa le informaron sobre el Internet. ________

C F **3.** Ochoa y Juan Carlos están en la misma universidad. ________

C F **4.** Cada colombiano tiene una computadora en su casa. ________

C F **5.** Muchos colombianos ya tienen una «casa inteligente». ________

G. Comprensión

Contesta con oraciones completas.

1. ¿Quiénes fueron los pioneros del sistema Morse?

2. ¿Qué sistema vino después del sistema Morse?

3. ¿Cuáles son dos medios de comunicación que aceleran los negocios?

4. ¿Cómo se llama el sistema de comunicación entre dos máquinas?

5. ¿Cuál es la profesión de Juan Carlos González?

H. A pensar y escribir más...

1. Discute lo que dice el narrador sobre las cartas de amor y los telegramas. ¿Estás de acuerdo? Explica.

____

____

____

____

____

____

____

2. Catalina habla de la soledad del hombre de este siglo y también de la aldea global. Explica cómo pueden existir los dos conceptos a la vez.

____

____

____

____

____

____

____

3. Describe una idea que tienes sobre un proyecto posible para Internet. ¿Cómo podrás conseguir los recursos que necesitas para realizarlo?

____

____

____

____

____

____

____

Entrevista

Ximena Barros: Me llamo Ximena Barros. Tengo 18 años. Vivo aquí en Quito, la capital de Ecuador. Estudio Gerencia en la Universidad Politécnica Salesiana. Estoy en primer año. Tomo las carreras de Marketing, recursos humanos, microempresas, economía política, entre otras. Como tú sabes, ahora es muy importante que las personas podamos acceder a información con la mayor rapidez posible porque el mundo se desarrolla tan rápido que es preciso que tengamos esa información. Entonces sí las utilizo: Internet, computadora, celulares, *beepers*... Cada vez que la tecnología avanza y se dan muchos más descubrimientos científicos, esto influye no solamente en el comportamiento de un sector determinado de personas sino de todo el mundo. Y, por supuesto, en Ecuador también se ha dado esto. Cada vez que hay un descubrimiento nosotros también nos vemos influenciados por él. Por ejemplo, antes era muy, muy extraordinario encontrar teléfonos celulares, o ver a personas llamando por teléfonos celulares, o utilizando computadores. Ahora ya no es así. Es muy común que en las universidades, colegios, en las casas se encuentren las computadoras porque, además, es muy necesario. Entonces, ha influenciado mucho y poco a poco se va convirtiendo en parte de nuestra vida. Las tecnologías que ahora se han presentado son muy positivas pero también tienen cosas negativas. En nuestro país, en el Ecuador, es... son las dos cosas. Es positivo porque tenemos más información de muchas personas, de muchos países... de tantas cosas que antes no podíamos conocer – en el momento en que están pasando. Pero ahora ya lo podemos hacer. Pero son negativas cuando, por ejemplo, los chicos dejan de hablar con sus padres, con sus amigos, con sus hermanos, y se ponen más bien a jugar en la computadora por muchas horas. Entonces, son negativas. Personalmente, me encanta todo lo que se refiere a información sobre países de los cuales no tengo ni idea.

En colores: Cultura y comparaciones

Video Program Videodisc 1B

Search Chapter 6, Play to 7
Unidad 6

Tango Singer Siglo XX... Cambalache... Problemático y febril....

Male Narrator: El desarrollo de las comunicaciones en este siglo ha sido un proceso tan acelerado que ya no hay lugar lejos de ninguna parte. Las noticias se conocen inmediatamente en cualquier punto del planeta. Los negocios se suceden unos a otros con la velocidad del fax, del módem, o las autopistas de información. Las cartas de amor y los telegramas ya no tienen tiempo para releerse. Pareciera que hubiesen perdido su valor poético ante las nuevas tecnologías. «Siglo XX, Cambalache, Siglo XXI» ha querido dedicar este espacio al tiempo transcurrido entre el telegráfo y el Internet.

Señora 1: Nuestros siguientes invitados nos contarán qué significado tuvo para las comunicaciones la clave Morse, cómo y cuándo llegó el telegráfo a Colombia y cuál fue su importancia en el desarrollo de nuestro país.

Señor 1: El telegráfo llego a Colombia hace 128 años. Los pioneros de este sistema.... primero, lo utilizaron los Ferrocarriles de Colombia.

Señor 2: El proceso de telegrafía se inició con el sistema Morse que era un sistema, pues, punto a punto que requería de personal capacitado en el manejo del lenguaje del Morse... Después de esto pasamos a un sistema télex que ya era comunicación entre dos máquinas, que era mucho más fácil y no requería tanto entrenamiento como el Morse.

Señora 1: Y para que nos cuenten cuáles son los últimos adelantos de las comunicaciones, qué son las autopistas de información, cómo se navega en ellas y cuál es el futuro de la humanidad ante estas nuevas tecnologías, tenemos a los siguientes invitados:

Señor 4: El Internet para mí es el ascenso comunicacional al que hemos podido llegar... es un posibilitar mediante las nuevas tecnologías y las nuevas filosofías de comunicación... integrar distancia, velocidades, información. Es conglomerar varias circunstancias y varias tecnologías para aprovechar todo, de la mejor forma posible.

Señor 5: Del Internet por lo que contaban mis amigos. O sea, pues yo sabía que la Universidad tenía ese servicio pero, la verad, no me había llamado mucho la atención. Después de que hablé con mis amigos fue que me empezó a interesar... Ellos me comentaban acerca de las maravillas, por decirlo así, que tiene el Internet - que podían mirar cosas de arte, de música... en fin, una cantidad de cosas o hacer amigos por computador.

Señora 2: Yo me vinculé... el de hacer amistades. Ese es un servicio... pues se llama Web Personals y ahí tú dejas un mensaje y la gente te escribe a tu e-mail o a tu correo... Y ya tengo varios amigos y conozco casos de gente que se ha casado, y se han conocido por Internet. Yo tengo varios amigos en Estados Unidos y algunos en Argentina.

Señor: A nivel de comunicaciones hay todavía mucho terreno que abonar. La prestación de servicios de multimedia, de interactividad entre los usuarios, de poder desde su casa realizar cualquier transacción, compra y consulta... Las mismas teleconferencias, la educación a distancia y programas... poderse estar comunicando desde cualquier lugar del mundo...

Señor: Se puede llegar a tener conferencias... a tener clases... sin tener... digamos, un salón o una presencia física en donde se esté realizando la clase. Puede haber una clase distribuida o una clase virtual, digamos. A nivel científico, nos puede permitir manejar o manipular mayor información.

Señor: El futuro de las comunicaciones tiende a que cada colombiano tendrá un computador para accesar toda su información, donde él recibirá todos sus telegramas, todos sus mensajes en un computador, sin necesidad de ir a ningún sitio a colocar un telegrama, sino desde su casa. Ahí vamos a llegar.

Woman: Yo creo que no va a estar atado al computador. Va a ser como la voz... del próximo siglo. Además, creo que una también de las condiciones del hombre de este siglo es que se ha vuelto muy individual y muy solo, a pesar de la idea de la aldea global y la idea de la globalización del mundo, el ser, como individuo, está muy solo. Y adentrarse al mundo exterior le causa mucho... miedo. Entonces el computador es una forma que no... ni te recrimina, no te cuestiona... entonces...

Señor: El Internet finalmente va a llegar tanto a todo el mundo que va a ser algo tan cotidiano que ya nos dejaremos de sorprender de él dentro de un tiempo. Ya será un instrumento más de la... de un mundo lleno de tecnología, un mundo con un tiempo más acelerado, con un ritmo de vida distinto.

Woman: Va a ser a través de las casas inteligentes, ¿no? Que uno por computador ya dice se abre la puerta, abre... friegue la cocina... no sé, cualquier cosa así. Ese va a ser el tipo de mundo que me imagino...

Unidad 6

Etapa 1 Answer Keys

Information Gap Activities

Actividad 1

Estudiante A
1. Lee Teleguía.
2. Tiene una antena parabólica.
3. Usa el remoto.
4. Tiene una videocasetera.

Estudiante B
1. Escucha música.
2. Lee libros.
3. Juega al fútbol.
4. Anda en bicicleta.

Actividad 2

Estudiante A
1. En el canal dos hay un programa de ciencia ficción.
2. En el canal cinco hay un programa de concurso.
3. En el canal doce hay un programa de horror.
4. En el canal veinticinco hay un programa de entrevista.

Estudiante B
1. Su papá prefiere el noticiero (las noticias).
2. Su hermana prefiere los dramas (los teledramas).
3. Sus hermanitos prefieren los dibujos animados.
4. Su mamá prefiere los programas de acción.

Actividad 3

Estudiante A
1. Miguel Camacho trabaja (es actor) en los programas de horror.
2. Susana Chung trabaja en programas de concurso.
3. Héctor Chávez trabaja (es actor) en los programas para niños.
4. Mariana Rodríguez trabaja en los programas de entrevista.

Estudiante B
1. Trevor Ruiz trabaja (es actor) en los programas de misterio.
2. Olivia Rendón es reportera en el noticiero.
3. Daniel Báez trabaja (es actor) en los programas de ciencia ficción.
4. Laura Chase trabaja (es actriz) en los programas de acción.

Actividad 4

Estudiante A
1. Los dibujos animados son aptos para niños.
2. El documental sobre elefantes es apto para toda la familia.
3. Para el programa de acción, se recomienda discreción.
4. El programa sobre la galaxia es apto para toda la familia.

Estudiante B
1. Han mirado un documental sobre los cocodrilos.
2. Han visto un programa que se titulaba *Vacaciones en Caracas.*
3. Han visto el programa de concurso *¿Qué? ¿Quién?*
4. Han mirado el partido de fútbol entre España y Argentina.

Cooperative Quizzes

Quiz 1
1. pude / Estaba (Estuve)
2. sabía / conocí
3. era / terminé
4. sabíamos / tuvo
5. encendí / se comentaban

Quiz 2
1. puedan
2. leí
3. llegue
4. llueva
5. terminaron/terminaran

Quiz 3
1. comieran
2. esperaras
3. ayudaría
4. viene /vendrá
5. hagas

Quiz 4
1. miraran
2. encendieras
3. hagan
4. cenen
5. vean

Exam Form A

A.
1. c
2. d
3. b
4. d
5. d

B.
1. F
2. C
3. F
4. F
5. F

C. Answers will vary.

D.
1. la televisión por satélite.
2. la videocasetera.
3. el control remoto.
4. la teleguía.
5. el programa de dibujos animados.

E.
1. estaba / llamaste
2. grababa (grabó) / almorzábamos
3. eran / iban
4. tenía (tuvo) / gustaron
5. empezó / sonó

F.
1. comiencen
2. tengas
3. lea
4. di
5. haya

G. Answers will vary. Possible answers:
1. Dice que comprará una antena parabólica.
2. Dijo que haría los quehaceres.
3. Dice que saldrá para la una.
4. Dijo que buscaría el control remoto.
5. Dice que grabará su programa favorito.

H. Answers will vary.

I. Answers will vary.

Exam Form B

A.
1. d
2. d
3. c
4. d
5. c

B.
1. F
2. C
3. F
4. F
5. F

C. Answers will vary.

D.
1. la videocasetera.
2. el control remoto.
3. la teleguía.
4. el programa de dibujos animados.
5. la televisión por satélite.

E.
1. empezó / sonó
2. tenía (tuvo) / gustaron
3. eran / iban
4. grababa / almorzábamos
5. estaba / llamaste

F.
1. haya
2. di
3. lea
4. tengas/tienes
5. comiencen

G. Answers will vary. Possible answers:
1. Dice que hará los quehaceres.
2. Dijo que saldría para la una.
3. Dice que buscará el control remoto.
4. Dijo que grabaría su programa favorito.
5. Dice que comprará una antena parabólica.

H. Answers will vary.

I. Answers will vary.

Examen para hispanohablantes

A. Answers will vary. Possible answers:
1. Es directora de televisión.
2. Le interesan ver cómo se graban los programas y los efectos especiales.
3. Es el técnico de sonido y hace el ruido del monstruo grabando una voz humana a una velocidad muy lenta.
4. Busca una silla y observa.
5. Quiere ser productor porque no tiene mucha paciencia.

B.
1. F
2. F
3. C
4. F
5. F

C. Answers will vary.

D.
1. el control remoto.
2. la teleguía.
3. la videocasetera.
4. la televisión por satélite.
5. el programa de dibujos animados.

E.
1. Estaba viendo un programa de misterio hasta que tú llamaste.
2. Anita grababa (grabó) el teledrama mientras nosotros almorzábamos.
3. Cuando Carlos y Paula eran niños, ¿iban mucho al cine?
4. El drama tenía (tuvo) una trama interesante pero no nos gustaron los actores.
5. El programa de horror empezó el sábado a las diez cuando tu me telefoneaste.

F.
1. comiencen
2. tienes/tengas
3. lea
4. di
5. pongan

G. Answers will vary. Possible answers:
1. Dice que grabará su programa favorito.
2. Dijo que buscaría el control remoto.
3. Dice que saldrá para la una.
4. Dijo que haría los quehaceres.
5. Dijo que compraría una antena parabólica.

H. Answers will vary.

I. Answers will vary.

Etapa 2 Answer Keys

Information Gap Activities

Actividad 1

Estudiante B
1. Le interesa el equipo estereofónico.
2. Le interesa la videocámara.
3. Le interesan los audífonos.
4. Le interesa el radio portátil.
5. Le interesa la grabadora.
6. Le interesa la contestadora automática.
7. Le interesa la computadora portátil.
8. Le interesa el teléfono inalámbrico.

Actividad 2

Estudiante A
1. Necesita pilas.
2. Necesita un fax (multifuncional).
3. Necesita altoparlantes.
4. Necesita un Walkman

Estudiante B
1. A su papá le va a regalar una videocámara.
2. A su mamá le va a regalar un teléfono celular.
3. A su abuela le va a regalar un televisor portátil.
4. A su hermano le va a regalar una computadora portátil.

Actividad 3

Estudiante A
1. Usa el fax.
2. Usa el teléfono celular.
3. Usa el correo electrónico.
4. Usa la contestadora automática.

Estudiante B
1. Usa el radio.
2. Usa la televisión.
3. Usa el Walkman.
4. Usa el equipo estereofónico.

Actividad 4

Estudiante A
1. A el(ella) se le han descompuesto los altoparlantes.
2. A Paco se le ha descompuesto el televisor.
3. A Teresa se le ha descompuesto la computadora portátil.
4. A sus hermanitos se les han descompuesto los Walkman.

Estudiante B
1. A la secretaria se le ha caído el fax.
2. Al vecino se le ha caído el teléfono celular.
3. A ellos se les ha caído el radio.
4. A los chicos se les ha caído la videocámara.

Cooperative Quizzes

Quiz 1
1. den
2. quiera
3. escojas
4. nos demos cuenta
5. atendió

Quiz 2
1. El perro no duerme dentro de la casa.
2. Puse las cartas debajo del libro.
3. Sergio vive al lado de mi casa.
4. Detrás de nuestra casa hay un jardín.
5. Dejé los discos encima de la computadora.

Quiz 3
1. sino
2. pero
3. sino
4. sino que
5. sino

Quiz 4
1. Se les acabó
2. Se te descompuso.
3. Se les olvidó.
4. Se nos quedaron en casa.
5. Se le cayeron.

Exam Form A

A.
1. d
2. d
3. a
4. b
5. a

B.
1. C
2. F
3. F
4. C
5. C

C. Answers will vary.

D.
1. un teléfono celular
2. la contestadora automática
3. computadora portátil
4. videocámara
5. sus audífonos

E.
1. Se te perdieron las pilas.
2. Se nos olvidó ver el programa.
3. Se les descompuso el coche.
4. Se me acabó el pan.
5. Se le cayeron los vasos.

F.
1. pero
2. sino
3. pero
4. sino
5. pero

G. Answers will vary. Possible answers:
1. Compraré la grabadora tan pronto como tenga dinero.
2. Devolverán el beeper a menos que funcione bien.
3. Mirabas el (un) documental cuando se descompuso el televisor.
4. Oyeron el telemensaje en cuanto llegaron a casa.
5. No encontrarás el teléfono celular hasta que limpies tu cuarto.

H. Answers will vary.

I. Answers will vary.

Exam Form B

A.
1. b
2. b
3. c
4. d
5. c

B.
1. C
2. F
3. F
4. C
5. C

C. Answers will vary.

D.
1. sus audífonos
2. videocámara
3. computadora portátil
4. la contestadora automática
5. un teléfono celular

E.
1. Se le rompió el plato.
2. Se les quedaron las tarjetas de crédito.
3. Se nos descompusieron el televisor y el radio portátil.
4. ¿Cuándo se te ocurrieron esas cosas?
5. Se me olvidaron las pilas.

F.
1. pero
2. pero
3. sino
4. sino
5. pero

G. Answers will vary. Possible answers:
1. No encontrarás el teléfono celular hasta que limpies tu cuarto.
2. Oyeron el telemensaje en cuanto llegaron a casa.
3. Compraré la grabadora tan pronto como tenga dinero.
4. Devolverán el beeper a menos que funcione bien.
5. Mirabas el (un) documental cuando se descompuso el televisor.

H. Answers will vary.

I. Answers will vary.

Examen para hispanohablantes

A. Answers will vary. Possible answers:
1. Trabaja en Teleteca, un almacén de aparatos electrónicos.
2. Recibe descuentos en los productos que compra y aprende mucho sobre tecnología.
3. Le regaló una videocámara.
4. Porque ellos tienen dos oficinas, una en la casa y otra en el centro.
5. Fotocopiadora, impresora, fax multifuncional, computadora portátil, videocámara

B.
1. C
2. F
3. C
4. F
5. C

C. Answers will vary.

D.
1. la contestadora automática
2. un teléfono celular
3. computadora portátil
4. los audífonos
5. videocámara

E.
1. se te perdieron
2. se nos olvidó
3. Se les descompuso
4. Se me acabó
5. se le cayeron

F.
1. Íbamos a salir, pero decidimos quedarnos en casa.
2. No me interesa la marca inglesa sino la norteamericana.
3. Realmente no me hace falta un fax, pero sería muy conveniente.
4. Está descompuesta no sólo la contestadora automática sino también el identificador de llamadas.
5. No compraron el televisor sino que lo alquilaron.

G. Answers will vary. Possible answers:
1. Oyeron el telemensaje en cuanto llegaron a casa.
2. Mirabas el (un) documental cuando se descompuso el televisor.
3. Devolverán el beeper a menos que funcione bien.
4. No encontrarás el teléfono celular hasta que limpies tu cuarto.
5. Compraré la grabadora tan pronto como tenga dinero.

H. Answers will vary.

I. Answers will vary.

Etapa 3 Answer Keys

Information Gap Activities

Actividad 1

Estudiante A
1. Marta quiere juegos interactivos.
2. Marta quiere un monitor enorme (muy grande, gigante).
3. Marta quiere un programa anti-virus.
4. Marta quiere una hoja de cálculo.

1. Ramiro quiere altoparlantes.
2. Ramiro quiere un módem.
3. Ramiro quiere un teclado expandido.
4. Ramiro quiere mucha memoria.

Estudiante B
Answers only orally.

Actividad 2

Estudiante A
1. Me interesan los grupos de noticias.
2. Me interesa navegar por la red.
3. Me interesa comprar libros en línea. / Me interesan las librerías en línea.
4. Me interesa el correo electrónico.

Estudiante B
1. Me gusta el correo electrónico.
2. Me gusta leer los periódicos en línea.
3. Me gustan los grupos de conversación.
4. Me gusta ver páginas personales.

Actividad 3

Estudiante A
1. Uso la red para conocer países (planear viajes).
2. Uso la red para leer las noticias.
3. Uso la red para comprar flores.
4. Consulto la cartelera y compro boletos en línea.

Estudiante B
1. Uso la red para reservar pasajes. / La red es mi agencia de viajes.
2. Uso la red para reservar habitaciones de hotel.
3. Uso la red para comprar cosas para mi computadora.
4. Tomo cursos en línea.

Actividad 4

Estudiante A
1. Esto es el disco duro.
2. Esto es el teclado.
3. Esto es el monitor.
4. Esto es el módem.

Estudiante B
1. Hay enlaces.
2. Tienes que entrar la contraseña.
3. Hay que hacer clic en los iconos de los programas.
4. Hay Localizadores Unificadores de Recursos.

Cooperative Quizzes

Quiz 1
1. Éste enlace es tan bueno como el otro.
2. Los juegos interactivos son más divertidos que los juegos tradicionales.
3. La computadora mía tiene tanta memoria como la tuya.
4. La dirección es menos importante que la contraseña.
5. Esta hoja de cálculo es tan rápida como la mía.

Quiz 2
1. a
2. en
3. con
4. de
5. de

Quiz 3
1. Este software es el programa menos útil.
2. Estos estudiantes son los usuarios más inteligentes.
3. Esta página-web es el sitio más interesante.
4. El módem es el aparato más necesario.
5. Los audífonos son la parte del sistema menos importante.

Quiz 4
1. de
2. que
3. a
4. de
5. a

Exam Form A

A.
1. d
2. a
3. b
4. d
5. c

B.
1. C
2. F
3. C
4. C
5. C

C. Answers will vary.

D.
1. teclado
2. monitor
3. módem
4. ratón
5. disco

E.
1. de, a
2. a, en
3. a, de
4. de, de
5. de, a

F.
1. de
2. en
3. con
4. a
5. a
6. con
7. en
8. de
9. a
10. de

G. Answers will vary. Possible answers:
1. Su página-web es más bonita que la de Rodrigo.
2. Tu módem es menos rápido que el nuestro.
3. Tú tienes tanto software como yo.
4. Mis nuevos discos no son tan caros como los tuyos.
5. Mis amigos tienen los juegos interactivos más interesantes de todos.

H. Answers will vary.

I. Answers will vary.

Exam Form B

A.
1. a
2. d
3. c
4. a
5. b

B.
1. C
2. F
3. C
4. C
5. C

C. Answers will vary.

D.
1. teclado
2. monitor
3. módem
4. ratón
5. disco

E.
1. de, a
2. de, de
3. a, de
4. a, en
5. de, a

F.
1. de
2. a
3. de
4. en
5. con
6. a
7. a
8. con
9. en
10. de

G. Answers will vary. Possible answers:
1. Su página-web es más bonita que la de Rodrigo.
2. Tu módem es menos rápido que el nuestro.
3. Tú tienes tanto software como yo.
4. Mis nuevos discos no son tan caros como los tuyos.
5. Mis amigos tienen los juegos interactivos más interesantes de todos.

H. Answers will vary.

I. Answers will vary.

Examen para hispanohablantes

A. Answers will vary. Possible answers:
1. Son especialistas en informática (computadoras).
2. Tiene un programa de televisión y una página-web.
3. Ya escogieron su contraseña y aprendieron a conectarse.
4. No permiten que participen en los grupos de conversación.
5. La computadora representa el futuro.

B.
1. F
2. C
3. C
4. F
5. C

C. Answers will vary.

D.
1. teclado
2. monitor
3. módem
4. ratón
5. disco

E.
1. de, a
2. a, en
3. a, de
4. de, de
5. de, a

F.
1. en
2. de
3. con
4. a
5. a
6. con
7. en
8. a
9. de
10. de

G. Answers will vary. Possible answers:
1. Su página-web es más bonita que la de Rodrigo.
2. Tu módem es menos rápido que el nuestro.
3. Tú tienes tanto software como yo.
4. Mis nuevos discos no son tan caros como los tuyos.
5. Mis amigos tienen los juegos interactivos más interesantes de todos.

H. Answers will vary.

I. Answers will vary.

Unit Comprehensive Test

A.
1. F
2. C
3. F
4. C
5. F

B. Answers will vary. Possible answers:
1. Hace una semana se me cayó y se me rompió mi radio portátil.
2. Siempre compro las mejores marcas pero busco buenos descuentos y garantías también.
3. Por eso compré también un identificador de llamadas, otra contestadora automática y un equipo estereofónico.
4. No es que yo necesite tantos aparatos electrónicos pero es importante que yo sepa cómo funcionan.
5. Es que escribo una guía del consumidor y me hace falta poner los aparatos a la prueba.

C.
1. C
2. C
3. F
4. C
5. F

D. Answers will vary.

E.
1. Se está usando cada vez más porque es un elemento esencial de la comunicación (y la competencia está aumentando y los servicios que se ofrecen están multiplicándose.)
2. Los precios están bajando.
3. Es importante porque el terreno en estas regiones remotas ha dificultado mucho la expansión del sistema tradicional de teléfonos.
4. El teléfono celular transmite mensajes por medio de las ondas de radio.
5. Ofrece muchas posibilidades para comunicación y la participación en la red mundial de comunicaciones.

F.
1. Se pueden explorar los varios aspectos de la sociedad boliviana (educación, gobierno, el mundo de los negocios, etc.).
2. Puedes conversar con agentes de turismo.
3. También se puede leer la prensa del país en la pantalla o escuchar un cuento.
4. Bolivianet es otro servicio boliviano de Internet.
5. Answers will vary. Possible answer: Con Internet se puede aprender mucho sobre un país antes de ir. Puedes conocer las regiones diferentes, leer descripciones de cada una, ver fotos de lugares de interés turístico y obtener una lista de hoteles. Incluso se puede reservar una habitación de hotel por Internet.

G.
1. veía / cambió
2. leía / grababas
3. éramos / gustaban
4. empezó / terminó
5. miraban / fueron

H.
1. A él se le perdieron las pilas.
2. A nosotros se nos descompuso el televisor portátil.
3. A mi se me olvidó grabar el episodio.
4. A ti se te rompió el beeper.
5. A ustedes no se les ocurrió adónde ir.

I.
1. salgan
2. está
3. vivamos
4. vimos
5. se queden

J.
1. al / sino
2. a / pero
3. de / sino
4. de / sino / de
5. de / pero / en

K. Answers will vary. Possible answers:
1. El fax es más caro que la grabadora.
2. El teléfono celular es tan útil como el módem.
3. La computadora portátil es más importante que el Walkman.
4. El disco es menos grande que la pila.
5. La videocámara es tan divertida como el televisor portátil.

L.
1. navegues
2. compraras
3. cambies
4. vieras
5. envíes

M. Answers will vary.

N. Answers will vary.

Prueba comprensiva para hispanohablantes

A. Answers may vary. Possible answers:
1. mandaron instalar una antena parabólica.
2. navegar por los canales.
3. vean programas prohibidos para menores.
4. documentales sobre animales, programas de música, y otras cosas que valen la pena.
5. prohibir que naveguen por los canales.

B. Answers may vary. Possible answers:
1. Ignacio Sotelo publica una guía para el consumidor.
2. Escribe sobre aparatos electrónicos.
3. Él tiene tantos aparatos porque para poder escribir inteligentemente sobre ellos, él mismo los tiene que utilizar.
4. Ahora que están más grandes, lo ayudan a probar los aparatos.
5. El chico podrá escribir un artículo comparando diversos videojuegos y el artículo aparecerá con su nombre.

C.
1. C
2. F
3. C
4. F
5. F

D. Answers will vary.

E.
1. Se está usando cada vez más porque es un elemento esencial de la comunicación (y la competencia está aumentando y los servicios que se ofrecen están multiplicándose.)
2. Los precios están bajando.
3. Es importante porque el terreno en estas regiones remotas ha dificultado mucho la expansión del sistema tradicional de teléfonos.
4. El teléfono celular transmite mensajes por medio de las ondas de radio.
5. Ofrece muchas posibilidades para comunicación y la participación en la red mundial de comunicaciones.

F.
1. Se pueden explorar los varios aspectos de la sociedad boliviana (educación, gobierno, el mundo de los negocios, etc.).
2. Puedes conversar con agentes de turismo.
3. También se puede leer la prensa del país en la pantalla o escuchar un cuento.
4. Bolivianet es otro servicio boliviano de Internet.
5. Answers may vary. Possible answer: Con Internet se puede aprender mucho sobre un país antes de ir. Puedes conocer las regiones diferentes, leer descripciones de cada una, ver fotos de lugares de interés turístico y obtener una lista de hoteles. Incluso se puede reservar una habitación de hotel por Internet.

G.
1. Alicia miraba el programa de entrevista cuando Ramón cambió de canal.
2. Yo leía la teleguía mientras tú grababas el programa de acción.
3. Marta caminaba (caminó) y Juan corría (corrió).
4. El domingo la teleserie empezó a las nueve.
5. Mientras ellos miraban el documental, ustedes salieron al cine.

H.
1. A él se le perdieron.
2. A nosotros se nos descompuso.
3. A mí se me olvidó.
4. A mí se me rompió.
5. A nosotros se nos acabó.

I.
1. salgan
2. está
3. vivamos
4. vimos
5. se queden

J.
1. al / sino
2. a / pero
3. de / sino
4. de / sino / de
5. de / pero / en

K.
1. El fax es más caro que la grabadora.
2. El teléfono celular es tan útil como el módem.
3. La computadora portátil es más importante que el Walkman.
4. El disco es menos grande que la pila.
5. La videocámara es tan divertida como el televisor portátil.

L.
1. navegues
2. compraras
3. cambies
4. vieras
5. envies

M. Answers will vary.

N. Answers will vary.

Multiple Choice Test Items

Etapa 1
1. b
2. b
3. d
4. c
5. c
6. a
7. d
8. c
9. d
10. c
11. b
12. b
13. b
14. a
15. a
16. a
17. c
18. c
19. a
20. b

Etapa 2
1. a
2. c
3. b
4. d
5. c
6. b
7. a
8. a
9. b
10. c
11. d
12. d
13. c
14. b
15. a
16. b
17. b
18. b
19. d
20. a

Etapa 3
1. c
2. c
3. a
4. d
5. a
6. b
7. b
8. d
9. d
10. c
11. a
12. b
13. b
14. d
15. a
16. c
17. c
18. b
19. d
20. a

Final Exam
1. d
2. c
3. a
4. d
5. b
6. a
7. b
8. c
9. d
10. b
11. d
12. c
13. a
14. c
15. b
16. c
17. d
18. a
19. b
20. b
21. a
22. c
23. b
24. d
25. c
26. a
27. b
28. d
29. c
30. c
31. d
32. a
33. a
34. b
35. b
36. c
37. d
38. a
39. b
40. b

Video Activities

A.
1. F
2. F
3. C
4. C
5. F

B.

importante
podamos
rapidez
tengamos

C.
1. Internet, computadora, celulares, beepers
2. Tienen más información de muchas personas, de muchos países, de tantas cosas que antes no podían conocer en el momento en que están pasando.
3. Por ejemplo, los chicos dejan de hablar con sus padres, con sus amigos, con sus hermanos, y se ponen más bien a jugar en la computadora por muchas horas.
4. A Ximena le gusta más todo lo que se refiere a información sobre países de los cuales no tiene idea.

D.
1. F
2. C
3. F
4. C
5. F

E.
1. b
2. a
3. d
4. c

F.
1. C
2. F; Fueron sus amigos.
3. F; Ochoa es un estudiante, Juan Carlos ya se graduó de la universidad.
4. F; El futuro de las comunicaciones tiende a que cada colombiano tendrá una computadora en casa.

G.
1. Los pioneros del sistema Morse fueron los ferrocarriles de Colombia.
2. Fue el sistema télex.
3. Accept any two: el fax, el módem, Internet, computadores, el teléfono, el telégrafo, télex, el sistema Morse.
4. Se llama el sistema télex.
5. Juan Carlos es ingeniero de sistemas.

H.
1. Answers will vary. Según el narrador "Las cartas de amor y los telegramas ya no tienen tiempo para releerse. Pareciera que hubiesen perdido su valor poético ante las nuevas tecnologías."
2. Answers will vary.
3. Answers will vary.